MARCO ⊕ POLO

Reisen mit
**Insider
Tipps**

TÜRKISCHE
SÜDKÜSTE

W0188263

Schwarzes Meer

BULGARIEN
Istanbul

Ankara

Izmir
**Türkische
Südküste**
TÜRKEI

**GRIECHEN-
LAND**
Antalya

Kreta
ZYPERN
SYRIEN
LIBANON
Mittelmeer
ISRAEL

ÄGYPTEN

MARCO POLO Autoren Dilek Zaptçioğlu und Jürgen Gottschlich

Unsere Autoren leben seit 1998 (wieder) in der Türkei. Beide arbeiten als Schriftsteller und Journalisten, die auch Zeitungen und Radiosender in Deutschland mit Nachrichten aus der Türkei versorgen. Von ihrem Wohnort İstanbul aus bereisen sie regelmäßig das ganze Land – ihr Hauptaugenmerk gilt dabei der schönen Südküste.

www.marcopolo.de/tuerkei-suedkueste

Die besten Insider-Tipps → S. 4

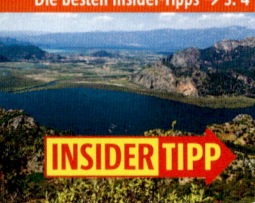

INSIDER TIPP →

Best of ... → S. 6

Der Südwesten → S. 32

Antalya – Lykische Küste → S. 50

SYMBOLE

INSIDER TIPP   Insider-Tipp

★   Highlight

● ● ● ●   Best of ...

☼   Schöne Aussicht

☺   Grün & fair: für ökologische oder faire Aspekte

(*)   kostenpflichtige Telefonnummer

PREISKATEGORIEN HOTELS

€€€ über 80 Euro

€€   40–80 Euro

€   bis 40 Euro

Die Preise gelten für zwei Personen im Doppelzimmer mit Frühstück pro Nacht

PREISKATEGORIEN RESTAURANTS

€€€ über 25 Euro

€€   10–25 Euro

€   bis 10 Euro

Die Preise gelten für ein Essen mit Vor-, Haupt- und Nachspeise und einem Getränk

INHALT

Die Türkische Riviera → S. 70

Ausflüge & Touren → S. 92

Sport & Aktivitäten → S. 98

Reiseatlas → S. 122

GUT ZU WISSEN
Geschichtstabelle → S. 12
Spezialitäten → S. 26
Die Patin der Schildkröten
→ S. 36
Wart ihr auch brav? → S. 67
Bücher & Filme → S. 84
Was kostet wie viel? → S. 111
Währungsrechner → S. 112
Wetter in Antalya → S. 114

KARTEN IM BAND
(124 A1) Seitenzahlen und
Koordinaten verweisen auf
den Reiseatlas
(0) Ort/Adresse liegt außerhalb des Kartenausschnitts
Es sind auch die Objekte mit
Koordinaten versehen, die
nicht im Reiseatlas stehen
Karten von Alanya, Antalya
Fethiye, Marmaris und Side
im hinteren Umschlag

UMSCHLAG HINTEN:
FALTKARTE ZUM
HERAUSNEHMEN →

FALTKARTE
(⊞ A–B 2–3) verweist auf
die herausnehmbare Falt-
karte

Die besten MARCO POLO Insider-Tipps

Von allen Insider-Tipps finden Sie hier die 15 besten

INSIDER TIPP **Romantischer geht's nicht**
In Dalyan steigen Sie ins Boot. Es ist Nacht, und die Wellen schimmern silbrig im Mondschein. Der Ausflug geht zum *İztuzu-Strand*, wo Sie im matten Licht der Sterne schwimmen können oder einfach im Sand liegen und den Himmel beobachten → S. 35

INSIDER TIPP **Fahr zur Hölle!**
„Paradies und Hölle" *(Cennet ve Cehennem)* heißen die beiden Höhlen bei Silifke, von denen allerdings nur das „Paradies" betreten werden darf → S. 91

INSIDER TIPP **Wo die wilden Kerle wohnen**
Rafting gibt es mittlerweile an vielen Plätzen der Südtürkei; der Fluss *Dalaman* eignet sich aber besonders gut dafür. Anleitungen gibt es vom Lehrer, und man kann zwischen unterschiedlichen Schwierigkeitsgraden wählen – die Schwimmweste muss immer angelegt sein! → S. 42

INSIDER TIPP **Der Traum vom Fliegen**
Vom *Babadağ* in Fethiye geht es mit dem Gleitschirm ab, allein oder mit dem neuen Microlight zu zweit mit Lehrer – unten leuchtet das blaue Mittelmeer. Alljährlich kommen Tausende hierher, um sich von dem 2000 m hohen Berg heruntergleiten zu lassen (Foto o.) → S. 42

INSIDER TIPP **Ganz schön heiß**
Das kann es einem schon werden, wenn man in den *Sultaniye Kaplıcaları*, den schwefelhaltigen, heißen Quellen am Ufer des Köyceğiz-Sees (Foto re.), badet → S. 38

INSIDER TIPP **Spritz, platsch!**
Nicht nur für Kinder ist der *Aquapark Dedeman* in Antalya ein erfrischendes Vergnügen → S. 104

INSIDER TIPP **Über Stock und Stein**
Mit dem Mountainbike durch die Berge: Training und geführte Touren bieten die Betreiber der *Arykandos Mountain Lodge* bei Kaş → S. 64

INSIDER TIPP **Speisen mit Überblick**

Im gepflegten Restaurant *7 Mehmet* in Antalya kann man gut essen und hat dazu einen tollen Blick aufs Meer → S. 53

INSIDER TIPP **Nur für Schwindelfreie**

Oberhalb einer alten Karawanserei an der Seidenstraße bei Alanya klebt die *Alara-Festung* wie ein Schwalbennest am Fels. Der Ausblick ist ebenso atemberaubend wie der Aufstieg dorthin → S. 75

INSIDER TIPP **Mit dem Boot in die Idylle**

Die *Kale Pension* in Kekova ist nur mit dem Boot zu erreichen – ein Stück Paradies an der lykischen Küste → S. 65

INSIDER TIPP **Sommer und Winter**

Die Taurus-Alm *Saklıkent* soll der äquatornaheste Punkt der Erde sein, auf dem man Ski fahren kann. Unten am Mittelmeer, in Antalya, wird gebadet, und am nächsten Tag kann man seine Sonnenbräune im Schnee auffrischen → S. 101

INSIDER TIPP **Die Heimat des Kebap**

In Adana isst man scharf gewürztes *Adana-Kebap* auf Fladenbrot, gegrillt auf Holzkohle – unbedingt probieren! → S. 83

INSIDER TIPP **Mit den Hufen im Sand**

Für Hobbyreiter ein Paradies: In Patara bietet die *Sultan-Han-Farm* unvergessliche Ausritte am Strand → S. 100

INSIDER TIPP **Ein Stück herrliche Natur**

Das *Tal der Schmetterlinge* bei Fethiye ist schwer zugänglich, weshalb es sich als Lebensraum für seltene Schmetterlingsarten erhalten hat. Bis zu 300 m hohe Seitenwände schützen den Cañon, der im Sandstrand mündet → S. 44

INSIDER TIPP **Klein, aber fein**

Wer den Trubel großer Hotelkästen nicht mag und es gern kleiner und individueller hat, ist im schönen *Beach House Hotel* von Ali und Penny am Ortsrand von Side genau richtig → S. 78

BEST OF ...

TOLLE ORTE ZUM NULLTARIF
Neues entdecken und den Geldbeutel schonen

● *Freibad- und Zoobesuch in einem*
Wo das Schilfdelta von Dalyan mündet, liegt der *İztuzu-Strand*, an dem Meeresschildkröten ihre Eier ablegen. Im Kanal wimmelt es von kleinen Schildkröten, Fröschen, Fischen und Krebsen, in deren Gesellschaft Sie nach Herzenslust schwimmen und schnorcheln können → S. 35

● *Zeugnis vergangenen Lebens*
Die Kleinstadt *Kayaköy* im Hinterland von Fethiye war einst von Griechen bewohnt. Die Bewohner gingen im Zuge des Bevölkerungsaustauschs nach dem Ersten Weltkrieg fort. Das kostenlose Freilichtmuseum beherbergt schöne Stücke griechischer Architektur → S. 44

● *Meer, so weit das Auge reicht*
Der Burgberg *Alanya Kalesi* ist ein idealer Ort, um einen Überblick über Land und Meer zu bekommen. 300 m über dem Meer muss man nicht den Eintritt für die Burg bezahlen, um die Aussicht zu genießen. Mit einem Buch und einer Kamera wird es hier nicht langweilig → S. 72

● *Versunkene Paläste*
Eintritt frei im Unterwassermuseum: In *Kekova* bei Kaş liegen lykische Gräber und Stadtreste in und unter dem Wasser. Nach einer Bootsfahrt können Sie die Ruinen schwimmend und tauchend erkunden → S. 65

● *Am Wasserfall*
Überall, wo es einen lauschigen Fluss mit oder ohne Wasserfall gibt, kann man wunderschön spazierengehen, picknicken und, mit etwas Mut, ins eiskalte Quellwasser eintauchen – so auch am *Düden Şelalesi*. So verbringt man einen wunderbaren Tag, ohne Geld auszugeben (Foto) → S. 57

● *Sonnengruß am Tempel*
In Side liegen, erhaben über dem Meer und völlig frei zugänglich, die restaurierten Überreste des *Apollo-Tempels*. Ob Sie früh morgens den Sonnenaufgang genießen oder am Abend dem Sonnenuntergang zuschauen – unvergesslich ist es allemal → S. 77

○●●●● Diese Punkte zeichnen in den folgenden Kapiteln die Best-of-Hinweise aus

TYPISCH TÜRKISCHE SÜDKÜSTE
Das erleben Sie nur hier

● *Wandern auf den Spuren der antiken Völker*
Die Gebirgskette verläuft an der türkischen Riviera parallel zur Küste und bietet viele kleine und große Wanderstrecken. Der *Lykische Wanderweg* ist 509 km lang und gut beschildert. Man kann ihn teilweise oder ganz laufen → S. 97

● *Blaue Reise*
In Fethiye geht es auf einem der „gulet" genannten Holzsegler los. Die Route führt entlang der Küste und/oder zu griechischen Inseln wie Kos oder Rhodos. Jeden Tag können Sie schwimmen und auf Wunsch das Land besichtigen. Die Köche sind berühmt für ihr hervorragendes Essen, und der Raki schmeckt auch (Foto) → S. 42

● *Aus dem Bilderbuch*
Ein Meer wie aus dem Bilderbuch gibt es an vielen Stellen der Südküste. Unvergleichlich aber ist das herrliche Blaugrün des Mittelmeers vor dem Hintergrund der Kiefernwälder in der Bucht von *Ölüdeniz* bei Fethiye → S. 45

● *Laue Sommernächte*
Der alte Yachthafen von Marmaris und die Gassen der *Hacı Mustafa Sokak* verwandeln sich nachts in eine Openair-Disko. Man erscheint well dressed zum Abenddrink → S. 47

● *Orientalisches Flair*
Das *Kaleiçi* ist ein Magnet für alle Südküstenurlauber. Der historische Stadtkern von Antalya beherbergt schöne Boutiquehotels, Cafés und Restaurants. Unten im Yachthafen zu sitzen und dem Treiben zuzuschauen ist ein Genuss → S. 52

● *Deep Blue*
Taucher aus aller Welt tummeln sich im Sommer in *Kaş*. Die hübsche Kleinstadt am Meer hat sich mit ihren Tauchgründen und Tauchschulen zu einem Mekka für Taucher entwickelt → S. 63

● *Bei den Urchristen*
Der Apostel Paulus und seine urchristliche Gemeinde haben im Südosten der Küste Spuren hinterlassen. Eine Messe in der *Apostelkirche St. Peter* in Antakya ist ein unvergessliches Erlebnis → S. 88

TYPISCH

BEST OF ...

REGEN

● *Ab ins Museum!*
Wem bei Sonnenschein die Zeit für einen Museumsbesuch zu schade ist, der sollte auf einen Regentag hoffen. Denn wer das *Archäologische Museum* nicht gesehen hat, der hat etwas verpasst (Foto) → S. 52

● *Shopping unter Dach*
Im *Migros*-Einkaufszentrum in Antalya können Sie sich bei Regen gut die Zeit vertreiben. Die Türken lieben den überdachten modernen Basar. Hier finden Sie neben Läden und Fastfood-Restaurants auch schickere Cafés, wo Sie sich mit Ihrer Lektüre eine Zeitlang niederlassen können → S. 54

● *Wenn schon nass, dann richtig*
Gehen Sie einfach in den *Hamam* – mit allem Drum und Dran vergehen zwei, drei Stunden wie im Flug. Ein stimmungsvolles Ambiente bietet z. B. das alte Bad im Markt von Fethiye → S. 40

● *Verstaubte Schätze*
Das *Archäologisches Museum* von Adana ist das älteste Museum der Türkei. Die altmodische Präsentation der antiken Kostbarkeiten entwickelt großen Charme → S. 83

● *Unter die Erde*
Wenn's oben mal ungemütlich wird, steigen Sie doch einfach in die Unterwelt! Die Tropfsteinhöhle *Köşekbükü Mağarası* bietet Abwechslung bei konstanten Witterungsbedingungen → S. 86

● *Müßiggang unter Dach und Fach*
Nein, Fische und Meeresgetier gibt es in diesem *Aquarium* nicht zu bestaunen. Dafür können Sie aber unter den großen Schirmen des schönen Bar-Restaurants an der Promenade von Marmaris bei Tee oder Kaffee wunderbar einen Regenschauer überbrücken → S. 46

ENTSPANNT ZURÜCKLEHNEN
Durchatmen, genießen und verwöhnen lassen

● *Schlammkur und heiße Bäder*

Die heißen *Schlammbäder* bei Dalyan ziehen jährlich Zehntausende Besucher an. Der Heilschlamm trocknet im Freien auf dem Körper, danach ist das Bad im 39 Grad warmen Quellwasser eine unbeschreibliche Wohltat für alle Sinne → S. 37

● *Schwitzen im Hamam*

Das Geheimnis des türkischen Bades sind Entspannung, Peeling, Massage. Nachdem sich im Dampf die Poren geöffnet haben, wird die Haut geschrubbt; die Massage rundet das Ganze ab. Eine besondere Adresse: *Sefa Hamamı* in Antalya → S. 55

● *Luxus pur*

Nichts tun und relaxen: In den großen Zimmern, Apartments und Villen am Pool des *Rixos Sungate Port Royal* in Kemer kann man vollkommen abschalten, im Spabereich vollends den Alltag vergessen → S. 68

● *Klassik im antiken Theater*

Im Sommer sind die Klassikkonzerte sowie Opern- und Ballettaufführungen im antiken *Aspendos*-Theater zwischen Antalya und Manavgat ein Highlight. Die Akustik ist immer noch hervorragend. Einfach abschalten und genießen ... → S. 78

● *Erholung vom Stadttrubel*

Mermerli, der kleine Stadtstrand von Antalya, liegt versteckt hinter der Altstadt. Nach einem ermüdenden Tag im Museum und auf dem Basar ist der Sprung von der Badeplattform ins Meer eine Wohltat – vor allem im Herbst, wenn Antalya nicht mehr so voll, das Wasser aber noch über 25 Grad warm ist → S. 55

● *Yoga und Meditation*

Das meditative Zentrum *Yoga Ashram* thront über dem grünen Tal des Flüsschens Dim im Hinterland von Alanya. Handys, iPods, Fernsehen etc. sind tabu. Organische Kost und Spaziergänge am Fluss mit Yoga-Übungen im Wasser reinigen nicht nur den Körper, sondern auch die Seele (Foto) → S. 75

AUFTAKT

ENTDECKEN SIE DIE TÜRKISCHE SÜDKÜSTE!

Strand, so weit das Auge reicht. Egal, ob man links, rechts oder über die Schulter schaut: Am Strand von Patara ist kein Ende in Sicht. Kilometerlang zieht sich der feine Sand am Wasser entlang, und die Dünen reichen noch Hunderte Meter ins Hinterland. Und auch dahinter kommen noch keine lärmenden Straßen, sondern erst einmal die letzten steinernen Spuren des antiken Patara, einer einst großen Hafenstadt. Aus den Ruinen der alten lykischen Stadt schaut man aufs Meer oder auf die Taurusberge, die bei klarer Sicht nicht weit entfernt scheinen.

Auch wenn Patara schon ein besonderes Kleinod ist, die Kombination von weitem Strand, antiken Stätten und den bis in den Frühsommer schneebedeckten Gipfeln des Taurusgebirges ist typisch für die türkische Mittelmeerküste. Über 600 km ziehen sich die Berge immer in Sichtweite des Meeres von der westlichen Ägäis bis an den östlichen Rand des Mittelmeers. Der vorgelagerte Küstenstreifen – mal so schmal, dass die Berge fast ins Meer rutschen, mal etliche Kilometer breit und von Baumwollfeldern überzogen – gehört mit einsamen Stränden, malerischen Städtchen, kulturellen

Bild: Bucht von Beydaglan

Highlights und quirligen Touristenzentren zu den abwechslungsreichsten Urlaubslandschaften des gesamten Mittelmeers. Das Zentrum der Mittelmeerküste ist Antalya. Die Stadt hat sich in den letzten 20 Jahren in schwindelerregendem Tempo von einem geruhsamen Küstenstädtchen zu einer Tourismusmetropole entwickelt. Obwohl viel gebaut wurde, ist es gelungen, den charmanten Kern der Stadt behutsam zu restaurieren und in seinem ursprünglichen Charakter zu erhalten. Antalya ist ein guter Ausgangspunkt, um sowohl die breiten Badestrände im Osten als auch die felsigen, romantischen Steilküsten mit ihren kleineren Badebuchten im Westen zu besuchen.

Rundumferien an der Türkischen Riviera

Fährt man von Antalya aus nach Osten, erreicht man am Stadtrand einen großen Sandstrand, der den Beginn der „Türkischen Riviera" markiert. An diesem Küstenabschnitt zwischen Antalya und Alanya verbringen die meisten deutschen Urlauber ihre Ferien. Von All-inclusive-Anlagen über kleine Hotels in historischen Orten wie Side bis zu Campingplätzen und Pensionen in Manavgat ist die touristische Infrastruktur hier auf dem letzten Stand. Berühmte historische Stätten wie das Amphitheater Aspendos oder die Bergruinen in Termessos runden das Bild der Türkischen Riviera ab.

Alanya, die nach Antalya zweitgrößte Stadt an diesem Küstenabschnitt, ist schon fast zu einer Art deutscher Provinz geworden. In dem im Jahresmittel wärmsten Ort am östlichen Mittelmeer haben sich so viele Deutsche niedergelassen, dass Alanya be-

3000 v. Chr.
Gründung Trojas und anderer Siedlungen an der Küste

ab 1200 v. Chr.
Griechische Kolonien an der West- und Südküste

333 v. Chr.
Alexander der Große besiegt die Perser und sichert die griechische Herrschaft

2. Jh. v. Chr.–2. Jh. n. Chr.
Blütezeit der griechischen Städte und Siedlungen

330 n. Chr.
Die Römer übernehmen; Byzanz wird Hauptstadt des Römischen Reiches

1307
Gründung des Osmanischen Reiches

Sonnenbaden am Kleopatrastrand – gut bewacht von Alanyas Seldschukenburg

reits wie die türkische Entsprechung zu Mallorca erscheint. Wer von Alanya aus weiter nach Osten fährt, erreicht schnell Orte, die vom Tourismus noch fast unberührt sind. Die Küste wird hier steiler, die breiten Strände seltener, und der nächste Flughafen ist immer weiter entfernt. Hier leben die Küstenbewohner noch mehr von der Landwirtschaft als vom Tourismus. In Anamur erreicht die Küste ihren südlichsten Punkt, dahinter öffnet sich die riesige Bucht von Adana, der östlichste Teil

Auf den Spuren der Urchristen

des Mittelmeers. Die Bucht ist als Badegebiet nicht geeignet: Hier liegen die großen Industriehäfen Mersin und İskenderun, das Öl-Verladeterminal von Yumurtalık

1453
Osmanen erobern Konstantinopel und nennen die Stadt Istanbul

1914–18
Das Osmanische Reich verliert den Ersten Weltkrieg an Deutschlands Seite; die Sieger besetzen Kleinasien

1923
Nach einem erfolgreichen Befreiungskrieg gründet Mustafa Kemal die moderne Türkische Republik

1945–50
Einführung des Mehrparteiensystems; Beitritt zur Nato

1960–80
Drei Militärputsche (1960, 1971, 1980); Zypernkrise (1974)

und die sumpfigen Ebenen im Mündungsgebiet des Ceyhan. Erst am Ende der Bucht, kurz vor der syrischen Grenze, wird es wieder interessant. Das türkische Antakya ist das Antiocheia der Bibel, wo Paulus die erste große christliche Gemeinde gründete.

Lykien – ein Revier für Individualisten

Von Antalya aus nach Westen gibt es schon wenige Kilometer hinter der Stadt die spektakulärste landschaftliche Kulisse des östlichen Mittelmeers zu bewundern. Hier fallen die Taurusberge aus bis zu 3000 m Höhe fast senkrecht ins Meer, die Küste ist in unendlich viele Buchten zergliedert, die von Sandstränden über Kiesel und Klippen alles bieten. Zu Beginn der Strecke kommen rund um Kemer noch einmal viele Clubanlagen, dahinter beginnt das Paradies für Individualreisende. Einsame Buchten in Olympos, zauberhafte kleine Pensionen in Kaş die weiten Strände von Patara: Die lykische Küste ist ein Traum für alle, die sich auf Entdeckungsreise machen wollen.

Mit Fethiye, Marmaris und Bodrum erreicht man dann die nach Antalya bekanntesten Tourismuszentren der Türkei. Ölüdeniz, eine der herrlichsten Buchten des Mittelmeers bei Fethiye, die Felsgräber und Schilfwälder von Dalyan, das Segelparadies in der Gökova-Bucht und die Mandelhaine auf der Datça-Halbinsel: Der Westzipfel der Küste hat Überraschungen zu bieten, die weit über den spektakulären Paragliding-Sprung vom Babadağ und den bestausgebauten Segelhafen des östlichen Mittelmeers in Marmaris hinausgehen. Es gibt mythenumwobene Plätze wie Knidos, ursprüngliche Fischerdörfer wie Bozburun, aber auch luxuriöse Ferienanlagen und exklusive Hotels rund um Marmaris. Mit die schönste Art und Weise, die Südküste zu erleben, ist ein Trip mit einem der großen Holzboote, den Gulets. Die „Blaue Reise" wie diese Bootstouren entlang der Küste genannt werden, sind Entspannung pur. Ganz nebenbei entdeckt man aber auch Buchten und Küstenabschnitte, die nach wie vor von Land aus nur schwer erreichbar sind, weil es weder Straßen noch befahrbare Feldwege gibt.

Die Saison geht an der Südküste von April bis November. Selbst in den Wintermonaten wird es kaum kälter als 10 Grad, allerdings kann es von Dezember bis März heftig regnen. Wenn die Sonne aber durchkommt, wird es auch im Februar schon so warm, dass die Hotels ihre Pools öffnen. Mai bis September gibt's dann Sonne pur, im Juli/

2002
Nach ihrem Wahlsieg beginnt die moderat auftretende islamistische AKP das Land alleine zu regieren

2005
Die EU beginnt Beitrittsgespräche mit der Türkei

2007/11
Zweimal hintereinander gewinnt die AKP die Parlamentswahlen; Erdoğan bleibt Ministerpräsident und verzeichnet wirtschaftliche Erfolge

2013/14
Im Sommer 2013 kommt es zu großen Demonstrationen der sekularen Türken gegen die AKP. Im März 2014 finden Kommunalwahlen im Land statt

Zeugnis einer reichen Geschichte: römischer Aquädukt in Aspendos

August können die Temperaturen auf 40 Grad ansteigen. Meist sorgt aber eine Brise dafür, dass es trotzdem angenehm bleibt. Die türkische Tourismusindustrie hat in den letzten Jahren viel dafür getan, dass die Südküste nicht nur für den klassischen Strandurlaub, sondern auch für Kulturreisende und Winterurlauber interessant wird. Viele antike Stätten sind heute besser gepflegt als noch vor einigen Jahren und damit auch besser zugänglich. Mit Golfplätzen und Wanderwegen werden

Attraktiv auch in der Nebensaison

Aktivurlauber angelockt, die gerade nicht die heißen Sommermonate bevorzugen. Nicht zuletzt haben sich auch etliche Hotels darauf eingestellt, Gästen aus dem Norden, die den Winter in der Türkei verbringen wollen, attraktive Angebote zu machen.

Natürlich hat auch die Mittelmeerküste der Türkei ihre Schattenseiten. Trotz der Beteuerungen der Regierung, die Fehler des Massentourismus nicht wiederholen zu wollen, gibt es üble Bausünden. Und die viel beschworene orientalische Gastfreundschaft ist im Trubel von Marmaris oder Side auch nicht mehr das, was sie einmal war. Die Bevölkerung hat hier längst ein professionelles Verhältnis zu den Besuchern, was bei Millionen von Gästen im Jahr auch nicht verwundern kann. Das ändert sich, wenn man die ausgetretenen Pfade des Massentourismus verlässt. Wer jenseits seiner Ferienanlage auf Entdeckungstour geht, findet verschlafene Dörfer, in denen die Zeit stillzustehen scheint, aber in denen Menschen leben, die immer offen sind für ein Gespräch, selbst wenn's mit der Sprache hapert. Hier sind Fremde noch Gäste. Machen Sie sich deshalb auch einmal ohne Ihren Reiseleiter auf den Weg. Sie werden feststellen, dass man Ihnen mit viel Hilfsbereitschaft und Interesse entgegenkommt.

IM TREND

1 Șalgam Suyu

Gesunder In-Drink   Șalgam mausert sich zum In-Getränk. Den herben Gemüsesaft gibt's jetzt in immer mehr Bars und Diskos an Alanyas Ausgehmeile am Hafen, auch gemischt mit Spirituosen. Ein Muss ist der Drink zum Adana-Döner, und das nicht nur in der Geburtsstadt des Spießes. Die *Güneyliler-Restaurants (www.hacininsalgami.com.tr)* in der *Turgut Reis Cad. 66* und der *Atatürk Bulvarı 88* in Antalya bieten Șalgam frisch zubereitet an. Für Daheimgebliebene gibt's den Drink auch in der Dose.

Made in Turkey

2

Very fashionable   Nicht nur die Modehauptstadt İstanbul, auch die Fashionmetropolen weltweit setzen auf türkische Labels. Wer die Nase vorn haben will, shoppt bei *Vakko (Șirinyalı Mah. | Tekelioğlu Cad. 22 | Antalya | www.vakko.com.tr)* oder *Herry (im Einkaufszentrum Terracity | Tekelioğlu Cad. 55 | Antalya | Lara | www.herry.com.tr)*. Coole Jeanswear, Blusen und Schals gibt es bei *Mavi (www.mavi.com) (Foto)*; *Ipekyol (im Einkaufszentrum Alanyum | Cumhuriyet Mah. | Çevreyolu Cad. 204–219 | Alanya | www.ipekyol.com)* setzt auf officetaugliche Mode, mit der man auch auf der After-Work-Party glänzen kann.

3 Essen im Fluss

Fisch auf den Teller   Schöner kann man nicht speisen. Im *Botanik (Ulupınar | www.ulupinarbotanik.com)* isst man auf schwimmenden Plattformen auf einem See. Was serviert wird? Fisch natürlich. Nah am Wasser gebaut haben auch das *Havuzbașı Șelale* und *Havuzbașı Șelale 2 (Ulupınar | www.selalerestoran.com)*. Die servierte Forelle stammt direkt aus dem Fluss – frischer geht's nichts.

Tanz auf dem Wasser

Wakeboarding Surfen ist ein alter Hut. Die trendigen Wassersportler zieht es aufs Wakeboard. Und das Beste ist: Wer für die Trainingseinheiten nicht auf den Wellengang warten will, geht in den weltmeisterschaftserprobten *Cable Park* von *Hip Notics (Manavgat | www.hip-notics. com) (Foto)*. Dort wird man umweltschonend von einem Elektromotor und einem Drahtseil angezogen. So klappt's auch eher mit den ersten gewagten Tricks. Auch in Alanya kann man sich auf dem Wakeboard versuchen. Im *Gold Cable Wake Park (Kargıcak Beldesi | www.goldcablepark.com)* kann man nicht nur tagsüber übers Wasser gleiten, sondern sich auch gleich in Bungalows und Apartments am See einrichten *(Eintritt 35 Euro, Übernachtung ab 500 Euro/ Woche)*.

4

Zwei Tage Design

Einchecken im Designerhimmel Aus İzmir und İstanbul, London und Hamburg reisen sie an. Antalyas Designhotels sind zum beliebten Wochenendziel für Europas luxusverwöhnte Kurzurlauber geworden. Das *Hotel Su (Konyaaltı | Antalya | www.ho telsu.com.tr) (Foto)* ist ein wahrgewordener Designertraum. Das Hotel wartet mit unzähligen Details auf – von den weißen Lederliegen über den rosa beleuchteten Hamam bis zu den Diskokugeln in der Lobby. Ebenfalls ein Traum in Weiß und Licht ist das *Hotel Adam & Eve (İskele Mevkii | Belek | www.royaladamevehotel.com)*. Mehr Farbe – und ungewöhnliche Details, wie Handfeger als Kunstwerke an der Wand – bringt das *The Marmara (Eski Lara Yolu 102 | Antalya | antalya. themarmarahotels.com)* in der Küstenstadt ins Spiel.

5

STICHWORTE

ANTIKE

Die Mittelmeerküste Anatoliens gehört zu den frühesten bekannten menschlichen Siedlungsgebieten. Ausgrabungen bei Çatal Hüyük zwischen Antalya und Konya förderten neolithische Kulturzeugnisse, u. a. Wandmalereien und Plastiken von Stierschädeln, aus dem 7. Jahrtausend v. Chr. zu Tage. Seit dieser Zeit lassen sich über die Jahrtausende hinweg immer wieder menschliche Siedlungen nachweisen, so aus der Bronzezeit und später aus der Zeit der Hethiter. Die heute noch zu besichtigenden Zeugnisse der Antike stammen aus der Zeit der Besiedlung durch griechische Kolonisten, die um 1200 v. Chr. an der anatolischen Küste landeten. Aspendos, Perge und Side gehören zu den eindrucksvollsten, bis heute gut erhaltenen Zeugnissen griechischer Siedlungen.

ATATÜRK

Jedem Besucher der Türkei, der sich außerhalb seines Hotels umschaut, werden die Statuen, Büsten und Bilder Mustafa Kemal Atatürks (1881–1938) auffallen. Der Ehrenname „Atatürk" („Ahne der Türken") hat bis heute seine Berechtigung, denn die moderne, 1923 gegründete Republik ist immer noch weitgehend seine Schöpfung. Der im Ersten Weltkrieg berühmt gewordene General organisierte nach dem Krieg den Widerstand gegen die Besetzung und Aufteilung des Osmanischen Reiches unter den Siegermächten. Er wurde zum Volkshelden und Führer im Unabhängigkeitskrieg,

Der Steckbrief der Türkischen Südküste: Gesellschaft und Geschichte, Kultur und Politik, Religion und Wirtschaft

den die türkische Volksmiliz schließlich für sich entschied. Die wichtigste Phase seines Wirkens begann jedoch nach dem Sieg auf dem Schlachtfeld. Mit seiner Republikanischen Volkspartei (CHP) setzte Atatürk auf den Aufbau einer laizistischen, an Europa orientierten Republik. Der letzte osmanische Sultan musste das Land verlassen, der Islam als Staatsreligion wurde abgeschafft, das lateinische Alphabet eingeführt und die Sprache modernisiert. Atatürk setzte die Gleichberechtigung der Frau durch und verbot das Tragen typisch osmanischer Kleidungsstücke wie des Fes oder des Schleiers. Mustafa Kemal starb mit 57 Jahren in İstanbul. Die als „Kemalismus" bezeichnete Modernisierung der Türkei und ihr Wegbereiter sind heute nicht mehr unangefochten. Die türkische Gesellschaft ist gespalten zwischen Atatürk und Erdoğan: Die Islamisierung des Alltags von oben stößt auf Widerstand. Für die säkulare Bevölkerung wird Atatürk wieder zum Symbol eines freieren Landes ohne religiöse Zwänge.

BAUMWOLLE

Wer im Herbst an der Mittelmeerküste entlangfährt, glaubt zuweilen seinen Augen nicht zu trauen. Weit und breit ist alles weiß. Doch was aus der Ferne wie eine Schneedecke aussieht, sind Baumwollfelder. Die Pflanzenknospen platzen im Herbst auf und setzen die weißen Faserbällchen frei. Baumwolle, das „weiße Gold", ist nach dem Tourismus die wichtigste Einnahmequelle an der Mittelmeerküste. Sie ist die Grundlage der türkischen Textilindustrie und bringt den Bauern gute Gewinne. Deshalb wurde die Baumwolle vor allem rund um Adana, in der so genannten Çukurova-Ebene, fast zur Monokultur. Während in vielen Gegenden noch mit der Hand gepflückt wird und deshalb im Spätsommer ganze Scharen von Wanderarbeitern unterwegs sind, wird auf den großen Flächen bereits maschinell geerntet.

EUROPÄISCHE UNION

Wird die Türkei EU-Mitglied, ja oder nein? Seit 2005 die Beitrittsverhandlungen begonnen wurden, stellt sich diese Frage erneut in verschärfter Form, weil in wichtigen EU-Ländern wie Deutschland und Frankreich immer noch Regierungen an der Macht sind, die einem türkischen Beitritt eher ablehnend gegenüberstehen. Dazu kommt, dass der Streit zwischen dem neuen EU-Mitglied Zypern und der Türkei um den türkisch besiedelten Norden der Insel noch nicht beigelegt ist und die griechisch-zypriotische Regierung deshalb immer wieder die Verhandlungen blockiert. Die Ablehnung der Türkei in vielen EU-Ländern und die anhaltenden Krisen innerhalb der EU haben auch die EU-Begeisterung in der Türkei selbst abgekühlt. Die Frage nach einer EU-Mitgliedschaft bleibt offen; die Befürworter auf beiden Seiten bemühen sich, den Prozess aufrechtzuerhalten.

FRAUEN

Frauen sind in der Türkei gesetzlich gleichgestellt und genießen bereits seit 1930 das allgemeine Wahlrecht. So wenig es für Frauen im öffentlichen Leben

Frauenarbeit: Erntezeit auf den Feldern

rechtliche Beschränkungen gibt, so sehr sind sie im Alltag oft mit einem traditionellen, patriarchalisch geprägten Weltbild konfrontiert. Das gilt besonders in ländlichen Gegenden, in den armen Zuwandererviertein am Rand der Großstädte und im Osten der Türkei. In den letzten Jahren wurde das Familienrecht westeuropäischen Standards angepasst und der Frau auch in der Ehe volle Gleichberechtigung eingeräumt. Dass es trotzdem immer wieder Fälle von Kinderheirat gibt, oder in konservativen religiösen Kreisen die illegale Mehrehe vorkommt, ist Ausdruck großer Entwicklungsunterschiede in einem Land, das seit Jahrzehnten einem rasanten Wandel unterworfen ist. Für Touristinnen gibt es im Vergleich zu anderen islamischen Ländern keinerlei Einschränkungen.

FUSSBALL

Kaum jemand verbindet mit der türkischen Mittelmeerküste großen Fußball, und doch sind die Strände ein Dorado für Kicker. Schon länger haben nordeuropäische Profivereine Antalya und Umgebung als Trainingsquartier für die Winterpause entdeckt. Das Klima ist mild und gerade richtig zum Auftanken, die Hotels haben häufig schöne Fußballplätze, und das Konditionstraining macht am Strand auch mehr Spaß als in der kalten Heimat. Für die Hoteliers sind die Vereine zu einer festen Größe geworden. Die Teams kommen nämlich nicht nur mit Trainerstab und Betreuern, auch viele Fans buchen ihren Urlaub im selben Hotel.

ISLAM

Offiziell ist die Türkei eine säkulare Republik. Es gibt keine Staatsreligion, und die Religion soll in den staatlichen Institutionen keine Rolle spielen. In der Zeit der Einparteienherrschaft bis zum Ende des Zweiten Weltkriegs wurde die Macht der Kleriker beschnitten; Sekten wurden verboten, die Anhäner in den Untergrund gedrängt. Schon mit den ersten Wahlen 1950 begann sich das zu ändern. Konservative Regierungen räumten der Religion einen stetig wachsenden Platz im öffentlichen Bereich ein, Restriktionen gegen islamische Orden wurden aufgehoben, und der Religionsunterricht an den staatlichen Schulen wieder eingeführt. Seit 2002 wird die Türkei nun von einer Partei regiert, die ihre Wurzeln eindeutig im politischen Islam hat. Seitdem tobt im Land ein regelrechter Kulturkampf zwischen der AK-Partei und ihren Anhängern auf der einen und der säkularen, zumeist in den Großstädten lebenden Bevölkerung andererseits. Wichtige Themen dieser Auseinandersetzung sind die Bedeckung der Frau und das Verbot von Alkohol. Über beides wird ausgiebig gestritten, wobei die Konservativen auf dem Vormarsch sind. Trotzdem ist die Türkei noch weit davon entfernt, das islamische Recht, die Scharia, wieder einzuführen, oder statt des Sonntags – wie in islamischen Ländern – den Freitag zum Feiertag zu erklären.

Besucher, die sich überwiegend an der Küste aufhalten oder sich an den touristischen Brennpunkten im Land orientieren, werden von dem Trend zum Islam kaum etwas spüren. Nur wer sich auf Entdeckungstouren in anatolische Städte im Landesinnern aufmacht, muss damit rechnen, kaum noch ein Restaurant zu finden, dass alkoholische Getränke im Angebot hat.

KURDEN

Die Kurden gehörten ursprünglich eigentlich nicht zu den Anwohnern des Mittelmeers. Sie leben weiter östlich, in der Bergregion im Südosten der Türkei, entlang der iranischen und irakischen Grenze. Seit der Republikgründung haben sich

Verwegene Konstruktion: Lykische Felsgräber bei Kale

aber Millionen von Kurden über die Türkei verteilt, darunter viele im Ballungsgebiet um Adana und Mersin. Seit den 1980er-Jahren kämpft die illegale Kurdische Arbeiterpartei (PKK) bewaffnet für einen eigenen Staat. Nach der Festnahme des PKK-Chefs Abdullah Öcalan 1999 kam es immer mal wieder zu heftigen Kämpfen. 2013 startete die AKP-Regierung eine neue Initiative und begann mit Öcalan über einen innertürkischen Frieden zu verhandeln. Mit dem syrischen Bürgerkrieg sehen jedoch viele Kurden die Zeit für ein unabhängiges Großkurdistan kommen, was die Lage im Südosten des Landes unberechenbar macht.

LYKIER

Erstmals erwähnt wurden die Lykier in der Ilias von Homer als ein Volk, das die Trojaner unterstützte. Über ihren Ursprung wissen Archäologen bis heute relativ wenig – trotz der Gräber, die sie als Zeugnisse ihrer Kultur hinterlassen haben. Von Dalyan über Fethiye bis Antalya finden sich hoch in den Bergwänden des Taurus die berühmten Felsgräber der Lykier. Daneben gibt es unterschiedliche Typen freistehender Sarkophage. Obwohl ein eher kleines Volk, müssen sich die Lykier über Jahrhunderte, etwa vom 15. bis zum 3. Jh. v. Chr., sowohl gegen die anatolische Großmacht der Hethiter, als auch gegen griechische Kolonisten und persische Großkönige erfolgreich zur Wehr gesetzt haben. In ihren Festungen im Taurusgebirge konnten sie sich offenbar so erfolgreich verteidigen, dass es keinem der Großreiche der Antike gelang, sie zu unterwerfen.

PIRATEN

Wer heute auf dem Meer ein Segel in der Sonne blitzen sieht, weiß, dass dort eine Yacht friedlich durchs Wasser zieht. Vor 2000 Jahren war das anders. Das Mittelmeer galt als Piratenrevier, und wer ein Segel am Horizont auftauchen sah, dachte zuerst daran, sich in Sicherheit zu bringen. Hochburg der Piraterie war die Küste Kilikiens rund um das heutige Alanya. Dort war der wichtigste

Hafen einer Piratenbruderschaft, die große Kapergemeinschaften bildete und damit im 1. und 2. Jh. v. Chr. das gesamte Mittelmeer unsicher machte. Die Piraten stießen bis in die Adria und zum italienischen Festland vor und brachten damit fast den gesamten römischen Seehandel zum Erliegen. 75 v. Chr. ging den kilikischen Piraten Julius Cäsar persönlich ins Netz. Den Piraten brachte Cäsar zwar 50 Talente ein – eine riesige Summe –, doch dafür sorgte Cäsar nach seinem Freikauf für die Verfolgung seiner Entführer. Der Feldherr Pompeius erhielt 20 Legionen, 500 Schiffe und die Befehlsgewalt über das ganze Mittelmeer. Gegen diese Armada waren die Piraten machtlos. Nach wenigen Monaten hatte Pompeius die Kaperflotten versenkt und die Stützpunkte der Piraten an der kilikischen Küste zerstört.

TOURISMUS

Seit zehn Jahren gehört die Türkei zu den Ländern, die als schnell wachsende Schwellenländer gelten, also kurz davor stehen, ein voll entwickeltes, modernes Industrieland zu sein. Das Land verzeichnet hohe Wachstumsraten von durchschnittlich 7 Prozent, und die türkische Börse ist eine der profitabelsten weltweit. Auch wenn es nach wie vor auch Armut gibt, steigt der Konsum kontinuierlich, leisten sich immer mehr Türken ein Auto und im Sommer einen Urlaub. Die Tourismusindustrie zählt zu den wichtigsten Wachstumsbereichen des Landes und liefert ständig neue Erfolgsmeldungen. So gehört Antalya, die Metropole der Südküste, zu den meistbesuchten Städten weltweit, rangiert hinter Paris, London und Singapur bereits an vierter Stelle. Das bezieht sich allerdings auf die gesamte Region um Antalya, die als Urlaubsdestination immer beliebter wird. Neben den Besuchern aus Deutschland und dem übrigen Westeuropa, die bis vor ein paar Jahren in Antalya noch fast unter sich waren, sind es heute vor allem Russen, die den Deutschen die Spitzenposition streitig machen. Seit die Türkei die Visumspflicht für Reisende aus den meisten arabischen Ländern aufgehoben hat, kommen auch viele Besucher aus dem Iran und den Golfstaaten. Araber aus den reichen Golfstaaten zieht es allerdings weniger an die Strände als vielmehr nach İstanbul. In der Metropole am Bosporus können sie die Annehmlichkeiten einer westlichen Weltstadt mit den Gewohnheiten eines islamischen Landes verbinden, was im gesamten Nahen Osten als große Attraktion gilt.

ZYPERN

Die größte Insel im östlichen Mittelmeer ist von der türkischen Küste aus leicht zu erreichen. Von Silifke benötigt die Schnellfähre ca. vier Stunden nach Girne (griech. Kyrenia), dem schönsten Hafenstädtchen der Insel. Der türkisch kontrollierte nördliche Teil Zyperns ist auf Grund des internationalen Boykotts touristisch nur wenig erschlossen, obwohl er landschaftlich zum Schönsten gehört, was die Insel der Aphrodite zu bieten hat. Ein Abstecher nach Zypern ist auf jeden Fall eine lohnende Abwechslung, für die auch kein Visum erforderlich ist. Politisch ist Zypern ein eher trauriges Kapitel. Nachdem die griechischen Zyprioten 2004 einen UN-Plan zur Wiedervereinigung der Insel abgelehnt hatten, konnte nur der griechische Teil der EU beitreten, während der türkische Teil weiterhin international isoliert ist. Zwar wurde die Grenze zwischen den beiden Teilen für Zyprioten an einigen Stellen geöffnet, für Touristen, die von der Türkei aus nach Nordzypern reisen, ist es aber immer noch nicht möglich, dann auch den Süden zu besuchen.

ESSEN & TRINKEN

Wie vieles in der Türkei, ist auch die Küche eine Synthese. Aus Zentralasien brachten türkische Viehzüchter Milchprodukte wie z. B. Joghurt mit. Von den Byzantinern wurden Fisch- und Geflügelgerichte übernommen und aus arabischen Ländern raffinierte Vorspeisen mit Walnüssen und Kichererbsen.

Aus Mesopotamien floss der Weizen und wurde zu dem in der Türkei verbreiteten Weißbrot verarbeitet. Einwanderer aus Russland und dem Balkan brachten Teigwaren *(börek)* mit. Und schließlich bot das Mittelmeerklima frisches Obst und Gemüse, Kräuter und Oliven. Das alles finden Sie heute auf dem Speiseplan guter Restaurants. Und die „Mittelmeerdiät" mit Pflanzenfetten und mehr weißem statt rotem Fleisch verlängert ja

bekanntlich das Leben! Tatsächlich tauchen Herz- und Gefäßleiden, Krebs und Diabetes am Mittelmeer seltener auf als in nördlicheren Breitengraden. Kurzum: Die Küche der türkischen Südküste variiert von der ägäischen Küche mit griechischem Einschlag im Westen bis zur sehr arabisch-orientalisch anmutenden und schmeckenden Küche der Region Adana-Antakya im Osten. Je weiter nach Osten Sie fahren, desto schärfer und fettiger wird es. Aber überall finden Sie leichte Salate, frischen Joghurt und Obst.

Das türkische Frühstück ist mehr als das französische, aber weniger als das deutsche: Außer an den Frühstücksbüfetts der Feriendörfer und großen Hotels bekommen Sie überall Butter, Schafskäse, Marmelade, Honig, Oliven, Tomaten und

Wählen Sie aus zwischen frischem Gemüse und Fisch, viel Obst und rein pflanzlichen Ölen – hier ernähren Sie sich wirklich gesund

Gurken. Wenn Sie aufs Land fahren, bieten Ihnen die Bauern Olivenöl mit Thymian *(kekik)* an, in das Sie Ihr Brot tunken können. Die Türken trinken morgens schwarzen Tee *(çay)*, Sie werden löslichen Kaffee bekommen, mit *(sütlü)* oder ohne Milch *(sade)*.

Da die Hauptmahlzeit am Abend eingenommen wird, und die meisten Hotels Halbpension bieten, werden Sie mittags draußen mit kleineren Gerichten ihren Hunger stillen müssen. In allen Ferienorten gibt's Cafés, die kleine Gerich-

te wie Pizza, Omelette, Crêpe oder Sandwiches anbieten. In den Kebap-Häusern müsste der Steinofen schon heiß sein, damit Sie nicht zu lange auf die mit Hackfleisch belegten Pizzen *(lahmacun)* oder das Fladenbrot *(pide)* mit Käse *(peynirli)*, Gehacktem *(kıymalı)*, Geschnetzeltem *(kuşbaşı etli)*, Schinken *(pastırmalı)* mit *(yumurtalı)* oder ohne aufgeschlagenem Ei *(yumurtasız)* warten müssen. Das Joghurtgetränk Ayran gehört dazu, aber Achtung: Es macht müde! Wo es Döner, den bekannten Fleischspieß gibt, können

SPEZIALITÄTEN

▶ **arnavut ciğeri** – frische Lammleber wird „auf albanische Art" klein geschnitten, in Mehl gewälzt und gebraten

▶ **Çerkez tavuğu** – das „Tscherkessenhuhn" wird mit Walnüssen zubereitet und ist eine raffinierte Vorspeise

▶ **çoban salata** – Tomaten, Pepperoni, Gurken, Zwiebeln und schwarze Oliven muss ein guter Hirtensalat auf jeden Fall enthalten

▶ **çupra ızgara** – gegrillten Meeresbarsch isst man nur am Mittelmeer

▶ **deniz börülcesi** – die „Meeresbohnen" wachsen in verwilderten Buchten und werden roh mit Olivenöl gegessen

▶ **gözleme** – dünne Pfannkuchen, mit Käse oder Hackfleisch gefüllt

▶ **haydari** – in der Paste sind Schafskäse, Joghurt, Petersilie, Paprika, Minze und Knoblauch

▶ **iç pilav** – das osmanische Palastgericht ist ein mit Korinthen, Tomaten, Hühnerleber und Pinienkernen angereicherter, mit Zimt gewürzter Reis

▶ **kazandibi** – die Milchspeise mit Reismehl und Vanillezucker muss ein bisschen anbrennen, um gut zu schmecken

▶ **kılıçbalığı şişte** – pikant marinierter Schwertfisch, der mit Paprika und Zwiebeln am Spieß gegrillt wird

▶ **künefe** – arabisches Dessert: Käse mit Zucker im Ofen gebacken

▶ **mantı** – die türkischen Tortellini sind mit Hackfleisch gefüllt und werden mit Knoblauchjoghurt übergossen (Foto re.)

▶ **midye dolması** – Miesmuscheln werden mit *iç pilav* gefüllt und kalt serviert

▶ **oruk** – das berühmte Gericht aus Antakya sieht aus wie große, goldbraun geröstete Ostereier und besteht aus Hackfleisch, Weizengrütze, Mehl, scharfen Gewürzen und guten, pflanzlichen Ölen. Das Ganze wird geknetet und im Ofen gegrillt

▶ **paçanga böreği** – Blätterteigtaschen, mit Schinken *(pastırma)* gefüllt

▶ **sebze borani** – die *borani* genannten Gerichte sind eine Spezialität aus Antakya. Das Gemüse (z. B. Spinat, Kichererbsen) wird mit Hackfleisch, Joghurt und Knoblauch verarbeitet – gibt's auch ohne Fleisch

▶ **sıcak helva** – türkischer Honig aus Sesam wird in der Pfanne gebraten: ein köstliches Dessert! (Foto li.)

▶ **tarator** – cremige, rosafarbene Paste aus Fischrogen, sehr sättigend

▶ **zeytinyağlı enginar** – Artischockenböden in Öl, mit Möhrchen und Kartoffeln

Sie sich die Spezialität *iskender* (mit Tomatensoße und Butter) gönnen oder einfach ein Brot auf die Hand zubereiten lassen. In der Türkei gibt es auch Spieße aus türkischem Schinken *(sucuk)* oder Hühnerfleisch *(tavuk)* – das erste ist scharf, das zweite ohne Tomatensoße *(domates sosu)* etwas trocken.

Abends setzt man sich kurz vor Sonnenuntergang zu Tisch. Aperitifs sind nur in größeren Hotels und Feriendörfern üblich. Importierte Getränke sind viel teurer als einheimische. Trinken Sie lieber ein türkisches *Efes Pilsen* als ein Importbier oder einen ägäischen statt ausländischen Wein. Die Weinproduktion macht seit Jahren große Fortschritte; zu empfehlen sind die Marken *Antik, Corvus* und *Sarafin*. Wasser ist immer ohne Kohlensäure, mit heißt es *Soda*. Den hochprozentigen Anis-Schnaps *Rakı* sollten Sie besser nur in kleinen Dosen genießen!

Das klassische Abendessen besteht aus fünf Gängen: Vorneweg gibt es kalte Vorspeisen *(meze)* wie Auberginenpüree *(patlıcan salata)*, *humus* (Kichererbsenmus), Tintenfischsalat *(ahtapot salatası)*, eingelegten Fisch *(lakerda, çiroz)*, scharfes Tomatenmus mit Paprika *(ezme)* oder gefüllte Weinblätter *(sarma)*, Schafskäse *(beyaz peynir)*, Honigmelonen *(kavun)*, Kopfsalat *(göbek salata)* oder Hirtensalat *(çoban salata)*. Dann folgen warme Vorspeisen wie mit Schafskäse gefüllte Teigrollen *(sigara böreği)*, Lammleber mit Zwiebeln *(arnavut ciğeri)*, frittierte Miesmuscheln *(midye tava)* oder Tintenfischringe *(kalamar)*. Lecker: Shrimps aus dem Tontopf *(karides güveç)*.

Als Hauptgericht wählen Sie zwischen Fisch und Fleisch; Vegetarier sollten einfach mit Vorspeisen fortfahren. Fleisch wird immer gegrillt: Lammkoteletts *(pirzola)*, Lamm am Spieß *(şiş kebab)* oder Steaks *(bonfile, külbastı)* werden mit Thymian bestreut, als Beilage gibt es Reis

Osmanische Esskultur: Sitzecke in einem traditionellen Restaurant

(pilav). Die frischen Fische des Tages werden in der Regel am Eingang ausgestellt, fragen Sie ruhig vorher nach dem Preis. Im Südosten werden Sie kaum Fisch finden und auf Fleisch umsteigen müssen. Als Nachtisch gibt es landestypische Süßigkeiten wie *Baklava* (aus Teig, mit Nüssen) oder *Helva* (türkischer Honig) – beides ist wirklich sehr süß. Danach wird gern noch frisches Obst gegessen. Den Abschluss bildet ein türkischer Mokka.

Die Restaurants haben in der Saison (Juni–Sept.) täglich geöffnet. Von Oktober bis Mai sind in den Urlauberhochburgen viele Restaurants und Kneipen zu. Im Fastenmonat Ramadan haben landeinwärts viele Lokale tagsüber geschlossen und öffnen erst kurz vor Sonnenuntergang.

EINKAUFEN

Je touristischer ein Basar, desto wertloser meist die Ware. Diese Faustregel gilt für die touristischen Hochburgen wie Side oder Kemer. Eine weitere Regel lautet: In der Hochsaison (Juni–August) steigen die Preise. Das gilt sowohl für Lederjacken als auch für Äpfel und Birnen. Und schließlich bekommen Sie Lebensmittel am Abend, wertvollere Güter wie Teppiche, Lederbekleidung oder Schmuck dagegen morgens am billigsten. Die Händler freuen sich über den ersten Kunden und glauben, dass es den ganzen Tag über Glück bringt, wenn er nicht mit leeren Händen aus dem Laden geht. Teppiche, Kelims, Lederbekleidung und Gold- oder Silberschmuck sind die begehrtesten Waren.

GOLD & SILBER

Gold ist in der Türkei billiger als in den Ländern der EU. Das 22-karätige, satt gelb schimmernde Edelmetall ist das Hochwertigste, aber auch Teuerste. Juweliere hängen den Tageskurs aus. Billiger und üppiger im Angebot ist das 18-karätige Gold, das alle von zu Hause kennen. Silber- und Goldware wird immer gewogen. Auch hier kann man feilschen. Aber Achtung: Viele Minerale oder Gesteine werden auf verschiedene Art und Weise manipuliert, um ihre Eigenschaften (Farbe, Glanz, Haltbarkeit) zu verbessern und andere, seltene und wertvolle Schmucksteine (wie Türkis) nachzuahmen.

KRÄUTER

Im Hinterland der Mittelmeerküste, auf den Taurus-Bergen, wachsen herrlich aromatische Würz- und Heilkräuter: Thymian, Basilikum, Minze und viele andere Pflanzen werden täglich frisch gepflückt und zu den *Aktar* genannten Heilkundeläden in den Marktvierteln gebracht. Diese Läden sind leicht an ihren Auslagen mit Gewürzen und allerhand getrockneten Pflanzen zu erkennen. Es gibt hier Heilmischungen u. a. gegen Bronchitis, Rheuma, Schlaflosigkeit oder sogar gegen Depressionen. Die *Aktar,* deren Betreiber ihr Wissen von ihren Vätern und Großvätern vermittelt bekommen haben, sind immer einen Besuch wert – sei es auch nur, um leckere, sonnengetrocknete Tomaten für die Spaghettisoße daheim zu erwerben. Es gibt inzwischen auch türkische Naturkosmetik. Sehr empfehlenswert sind die Cremes der Marken *Bosphorus* und *Cemre*.

Hier wird der Einkauf zum Ritual: schauen, feilschen, Tee trinken, plaudern und weiterfeilschen

TEPPICHE

Im Hinterland der Küste, in den Bergen, werden sehr wertvolle Teppiche geknüpft. Wer Lust und Zeit hat, kann sich in Antalya oder Adana in seinem Hotel über die nahen Dörfer erkundigen, ein Auto mieten und einfach hinfahren. Vor Ort verständigt man sich mit Händen und Füßen über den Preis. Die meisten werden sich jedoch in den örtlichen Läden umschauen. Achten sollte man bei Teppichen auf die Knotenzahl pro Quadratzentimeter – je mehr Knoten, desto wertvoller der Teppich. Verlangen Sie Kelims oder Teppiche aus naturgefärbter Wolle, weil die Anilinfarbe bei Nässe oft verläuft. Wenn Sie den Angaben des Verkäufers nicht trauen, lassen Sie eine Stichprobe machen – aber nur, wenn Sie die Ware danach wirklich kaufen werden! Dasselbe gilt fürs Feilschen: Sie können bei teurer Ware den Preis meist auf ca. 75 Prozent der anfangs genannten Summe drücken. Doch wenn Sie nicht entschlossen sind zu kaufen, sollten Sie gar nicht erst zu feilschen beginnen. Die Händler schicken Teppiche kostenfrei zu Ihnen nach Hause. Wenn Sie die Ware selbst mitnehmen, heben Sie die Quittung für den Zoll auf.

TEXTILIEN

Wer auf der Suche nach authentischen, mit Pflanzenfarben gefärbten und handgewebten Stoffen ist, wird an der türkischen Südküste sicher fündig. Schöne Stoffe aus echter Baumwolle – als Meterware oder verarbeitet in Form von Tischdecken oder Servietten – sind auf den Wochenmärkten besonders günstig zu haben. In den Marktvierteln der Kleinstädte wie Fethiye und Alanya gibt es Läden, die auf dieses Angebot spezialisiert sind. Wer gute und billige Hand- und Badetücher sucht, wird sie in Läden finden, die „Aussteuer" anbieten und in ihren Schaufenstern Damen- und Bettwäsche präsentieren.

DIE PERFEKTE ROUTE

VON DATÇA BIS ÖLÜDENIZ

Wie ein langer Finger ragt die **1** *Reşadıye-Halbinsel → S. 48* in der Südägäis nach Westen. Von *Datça* aus, dem größten Städtchen auf der Peninsula, kann man mit dem Boot bis an die Westspitze zu den antiken Ruinen von *Knidos* fahren. Die gesamte Halbinsel bietet noch viel unberührte Natur. Vor allem nach Norden hin, zur Bucht von Gökova, einem Fjord der sich über fast 100 km landeinwärts erstreckt, gibt es viele Wanderwege durch Kiefernwälder bis ans Meer. Auf dem Weg nach Osten kommt als nächstes der Touristen-Hotspot **2** *Marmaris → S. 46*. Obwohl mittlerweile zu einer echten Stadt ausgebaut, ist Marmaris nach wie vor von Wäldern umgeben und säumt eine der bestgeschützten großen Buchten der türkischen Küste. In den umliegenden kleineren Buchten kann man bis in den Winter hinein in türkisblauem Wasser schwimmen. Diese Lage ist auch der Grund, warum in Marmaris die größte Segelmarina der Türkei zu Hause ist. Wer daran denkt, an der Küste ein Boot zu chartern, ist hier genau richtig. Von Marmaris aus geht es mehrmals am Tag mit dem Bus nach **3** *Fethiye → S. 39*. Glaubt man der Fremdenverkehrswerbung der Türkei, findet sich hier der schönste Strand des ganzen Landes, die Bucht *Ölüdeniz → S. 45*. Von dem über 1000 m hohen Berg *Babadağ* kann man mit einem Paraglider spektakulär zur Bucht hinunterschweben. Fethiye ist neben Marmaris *der* Ausgangshafen für die „Blaue Reise" auf einem Holzsegler.

DURCH LYKIEN NACH ANTALYA

Südöstlich von Fethiye, noch abseits der großen Touristenströme, liegt das Taucherparadies **4** *Kaş → S. 62*. Von diesem idyllischen Städtchen stechen jeden Tag Boote in See, die tauchbegeisterte Besucher zu den Buchten von Kekova bringen. Kaş liegt im Zentrum des antiken Lykien und **5** *Kekova → S. 64* ist eine versunkene lykische Stadt, die man tauchend erkunden kann. Von Kaş aus führt die Straße über **6** *Olympos → S. 68* (Foto o.) zum Zentrum der Mittelmeerküste, nach **7** *Antalya → S. 51*. Die Stadt mit dem Flughafen, über den die meisten Urlauber die Türkei erreichen, ist in den letzten Jahren schnell gewachsen. Wie ein Ruhepol in der Hektik der Touristenmetropole liegt hinter der antiken Stadtmauer *Kaleiçi*, das alte Antalya aus der Zeit der Seldschuken. Die Holzhäuser rund um den historischen Hafen sind ein Juwel alttürkischer Architektur.

AN DER TÜRKISCHEN RIVIERA

Von Antalya bis Alanya erstreckt sich die „Türkische Riviera". Mittendrin steht der *Apollo-Tempel* von **8** *Side* → S. 76, dem Badeort, der schon in der Antike viele Fans hatte. Rund um Side sind die Strände endlos. Im Hinterland von Side hat sich der Köprü-Fluss in teils 100 m tiefen Schluchten durch den *Köprülü Kanyon* (Foto Mi.) gegraben. Hoch über **9** *Alanya* → S. 70 thront die ehemalige Seldschukenburg. Wer den Rummel an der Riviera satt hat, kommt weiter östlich auf seine Kosten. In **10** *Anamur* → S. 84, dem südlichsten Zipfel der Küste, sind türkische Badeurlauber noch fast unter sich. In Bananenhainen liegen verschlafene Feriensiedlungen und Kleinstäde; alte Burgen und ein grünes Hinterland bieten eine ruhige Kulisse zum Verweilen.

BARBAROSSA UND PETRUS

Der berühmteste deutsche Kaiser des Mittelalters, Friedrich Barbarossa, ertrank am 10. Juni 1190 im Fluss Göksu, oberhalb des heutigen **11** *Silifke* → S. 89. Von Silifke aus können Sie den Fluss entlang zum Ort des tragischsten Badeunfalls der deutschen Geschichte wandern. Am östlichen Ende der türkischen Mittelmeerküste liegt **12** *Antakya* → S. 86, die antike Weltstadt *Antiocheia*. Heute eine angenehme Provinzstadt, besitzt Antakya ein Mosaikmuseum, das die einstige römische Herrlichkeit zeigt, und mit der *Petrus-Grotte* eine der ältesten christlichen Kirchen überhaupt. Die Spuren der ältesten Zivilisationen des Orients laufen hier zusammen.

Ca. 1300 km, reine Fahrzeit ca. 24 Stunden, empfohlene Reisedauer: eine Woche. Detaillierter Routenverlauf auf dem hinteren Umschlag, im Reiseatlas sowie in der Faltkarte

DER SÜDWESTEN

Die Südwestküste mit der rund 100 km langen Datça-Halbinsel, an deren Spitze die Ägäis ins Mittelmeer übergeht, ist das Segelparadies der Türkei. Hier wurde die „Blaue Reise" erfunden, die geruhsame Segeltour in einem traditionellen Holzboot von Bucht zu Bucht.

Die Küste ist hier zerklüftet und bietet unzählige wunderbare Ankerbuchten, die oft über Land nur schwer zu erreichen sind. Neben dem Golf von Gökova, der sich über mehr als 100 km ins Landesinnere erstreckt, gibt es noch die fjordartigen Badebuchten von Marmaris, Ekincik und Fethiye, die diesen Küstenabschnitt so reizvoll machen. Ausführliche Informationen über Datça und die nordwestlich verlaufende Küste finden Sie im Marco Polo Band „Türkische Westküste".

Obwohl mit Marmaris, Fethiye und (an der Westspitze des Gökova-Golfes) Bodrum drei der größten touristischen Zentren der Türkei in der Region liegen, gibt es noch unzählige schöne Plätze und Sehenswürdigkeiten, an denen der Massentourismus bislang vorbeigegangen ist. Auch Besucher, die diese Küste nicht vom Wasser aus, sondern mit dem Auto oder Bus erkunden wollen, haben vielfältige Möglichkeiten, eindrucksvolle Natur- oder Kulturdenkmäler zu entdecken. Ein besonderes Erlebnis ist die Fahrt entlang des Köyceğiz-Sees, einem der schönsten Naturschutzgebiete der ganzen Türkei. Wer nach der Einsamkeit einer abgelegenen Bucht Abwechslung und Unterhaltung sucht, ist in Marmaris oder Fethiye bestens bedient. Vom Einkaufsbummel

Bild: Bucht von Ölüdeniz bei Fethiye

Im Revier der „Blauen Reise": Der südwestliche Abschnitt der türkischen Mittelmeerküste bietet Strände, Sport und Spaß

bis zur Diskonacht ist alles im Angebot, selbstverständlich auch gute Hotels und feine Restaurants. Durch den internationalen Flughafen in Dalaman ist die Region außerdem von vielen deutschen Flughäfen aus direkt zu erreichen.

DALYAN

(125 E5) *(⟂ E6)* **Das frühere Fischerdorf Dalyan (8000, im Sommer 35 000 Ew.) hat sich erst in den letzten Jahrzehnten** **zu einem Ferienort mit ausgeprägtem Ökobewusstsein entwickelt.**

Anders als die meisten Ferienorte liegt Dalyan nicht am Meer, sondern an einem Kanal, der den Köyceğiz-See mit dem Meer verbindet. Kurz hinter Dalyan weitet sich der Kanal zu einem großflächigen Mündungsdelta aus, das von schwimmenden Schilfinseln bedeckt ist. Das bis zu 3 m hohe Schilf macht die Bootsfahrt zum Strand zu einer labyrinthischen Reise durch das ⭐ *Schilfdelta*. Dalyan wurde bekannt als Zentrum

Ein Muss für Urlauber in Dalyan: mit dem Boot durchs Schilfdelta

der Bemühungen um den Schutz der bedrohten Meeresschildkröte *Caretta caretta*. Die Wasserschildkröten im Kanal (die sogenannten Nil-Kröten) sind keine Carettas und ernähren sich von Fischen.

Das Gebiet um Dalyan bis nach Köyceğiz wurde 1998 zum Naturschutzgebiet erklärt, in dem strenge Bauvorschriften gelten. Das hat Dalyan vor hässlichen Hotelkästen bewahrt, sodass der Charakter des Ortes trotz wachsender Besucherzahlen erhalten blieb. Die Menschen leben vor allem von den Fischfarmen und der Baumwolle. Hotels, Apartments und Restaurants ziehen sich am linken Flussufer entlang. Von einigen Stellen schaut man auf lykische Felsgräber, die in den steilen Berghang auf der gegenüberliegenden Flussseite gemeißelt wurden.

SEHENSWERTES

KAUNOS ★

Gegenüber von Dalyan liegen die Ruinen der antiken Stadt Kaunos, einer Siedlung, die ihre beste Zeit im 4. Jh. v. Chr. hatte. Kaunos war damals eine Hafenstadt an der Grenze von Karien zu Lykien – berühmt für Pökelfisch und Sklavenhandel. Homer erwähnt sie, merkt aber auch an, dass die Stadt aufgrund der Sümpfe in der Umgebung ein ungesundes Klima habe, womit wohl Malaria gemeint war. Wer sich die Mühe macht, auf die ☀ *Akropolis* von Kaunos auf 152 m Höhe zu klettern, hat einen phantastischen Blick über das Mündungsdelta bis zum Strand und auf den großen Köyceğiz-See. Unterhalb der Akropolis liegt das gut erhaltene *Theater*, von dem aus der Weg zum ehemaligen *Hafen* führt, der seit 2000 Jahren schon verlandet ist. Man kann von Dalyan mit dem Boot entweder auf die gegenüberliegende Seite übersetzen und an den lykischen Gräbern vorbei über den Hügel nach Kaunos laufen oder sich mit dem Boot direkt zum neuen Hafen von Kaunos bringen lassen. *Tgl. 8.30–19 (Nov.–März bis 17) Uhr | Eintritt ca. 3,50 Euro*

RADARTURM ☆

Schöner Aussichtspunkt: Von Dalyan Richtung İztuzu-Strand nimmt man 1 km vor der Abzweigung den Weg hinauf zum Radarturm. Von hier hat man einen wunderbaren Überblick über das gesamte Delta. Man schaut bis zu den Sandras-Bergen hinter dem Köyceğiz-See. Die Straße führt weiter zur Asi-Bucht, einer beliebten Station auf der Blauen Reise. Fernab vom Trubel, manchmal völlig einsam, kann man hier baden gehen.

ESSEN & TRINKEN

CEYHAN ☆

Das Restaurant liegt direkt am Wasser auf den Wiesen und besticht mit seinem Blick über den Kanal und nachts auf die angestrahlten Felsengräber. Auf der Karte stehen Fisch- und Fleischgerichte, aber auch vegetarische (Vor-)Speisen. Ruhig. *Tgl. | Gülpınar Mahallesi | Sahil Kenarı | Tel. 0252 2 84 53 87 | €€*

DENIZATI

Das „Seepferdchen" ist das beste Restaurant in Dalyan, in dem es frischen Fisch von der Fischereikooperative gibt. Auch Fleisch vom Grill und eine gute Vorspeisenplatte. *Kordon Kenarı | Tel. 0252 2 84 21 29 | €€*

KÖŞEM

Das Esslokal mit dem schönen Garten, der im Sommer gut besucht ist, hat örtliche Spezialitäten wie den blauen Krebs auf der Speisekarte. Das Tier, dessen Beine fleischiger sind als die der herkömmlichen Flusskrebse, wird beim Grillen rot. *Tgl. | Liman Cad. 149 | im Marktviertel | Tel. 0252 2 84 22 22 | €€*

INSIDER TIPP SAKI

Familienbetrieb. Ruhiger Platz am Fluss. Hervorragende türkische Küche. *Maraş Mahallesi | Geçit Sok. 15 | Tel. 0252 2 84 52 12 | €*

STRÄNDE

Der ● *İztuzu-Strand* von Dalyan gehört zu den schönsten der gesamten Türkei. Der Strand ist zum Schutz von bedrohten Meeresschildkröten, die hier ihre Eier ablegen, allerdings ab 20 Uhr abends für Besucher geschlossen. Von Dalyan aus erreicht man İztuzu am schönsten mit einem Boot. Fast jedes Hotel in Dalyan bietet einen Bootsservice zum Strand, man kann aber auch am Hafen ein Dolmuş-Boot nehmen, das nach dem Prinzip „Sammeltaxi" verkehrt *(Fahrpreis ca. 1,50 Euro).* INSIDER TIPP Mondscheintouren zum İztuzu-Strand, wo man nächtlich

MARCO POLO HIGHLIGHTS

★ **Schilfdelta Dalyan**
Spannende Bootsfahrt durchs Schilflabyrinth → S. 33

★ **Kaunos**
Antike Stadt mit Akropolis und Theater → S. 34

★ **My Marina**
Restaurant mit Traumblick über die Bucht von Ekincik → S. 37

★ **Felsgräber**
Lykische Grabkammern hoch über Fethiye → S. 39

★ **„Blaue Reise"**
Mit dem Boot vor der Küste unterwegs → S. 42

★ **Ölüdeniz**
Bei Fethiye begeistert die schönste Lagune am Mittelmeer → S. 45

schwimmen gehen kann, starten abends vom Kai.

FREIZEIT & SPORT

Man kann auf eigene Faust Kaunos besuchen, um die im Naturschutzgebiet lebenden Vögel von 150 verschiedenen Arten zu beobachten. Starten Sie früh morgens. Die Boote parken am Kai. Es empfiehlt sich, mit dem Fischer einen Tag vorher den Preis auszuhandeln und das Boot durch eine Anzahlung zu reservieren.

AM ABEND

JAZZ BAR LA VIE

In der Open-Air-Kneipe wird montags, mittwochs und am Wochenende Livemusik gespielt: Jazz, Blues und Rock. Die Preise sind moderat. *Tgl. ab 21 Uhr | Gülpınar Cad. 6 | Tel. 0252 2 84 33 66*

M & M ROCK BAR

Treffpunkt der Freunde guter Rockmusik. Schummriges Licht, stets gute Stimmung. Dass es hier laut zugeht, braucht man nicht zu erwähnen! *Tgl. 8–3 Uhr | Maraş Cad. 61 F*

ÜBERNACHTEN

HOTEL CARIA

Auf einer Landzunge gegenüber den Gräbern gelegen, bietet das Haus 20 einfache, saubere Zimmer. Pool, Restaurant, Bar; Hotelboot zum Strand. *Maraş Mahallesi | Yalı Sok. 9 | Tel. 0252 2 84 20 75 | www.hotelcaria.com | €€*

DALYAN CAMPING

Der einzige Campingplatz Dalyans liegt sehr hübsch am Wasser und bietet neben Zeltplätzen auch Bungalows und Ferienhäuser für bis zu 6 Personen. Im Restaurant gibt es ein gutes Frühstück und ordentliche Mahlzeiten. Eine ruhige, nette Alternative zum Hotel. *Maraş Cad. 72 | Tel. 0252 2 84 53 16 | Wirt Servet Vural: Handy 0506 8 82 91 73 | www.dalyancamping.com | €*

INSIDER TIPP HAPPY CARETTA HOTEL

Wunderbar gelegenes, freundliches Familienhotel am Fluss mit Blick auf die Felsgräber. Schöner Garten, für die Tour zum Strand steht ein eigenes Boot zur Verfügung. *18 Zi. | Kaunos Sokak 26–28 | Tel. 0252 2 84 21 09 | www.happycaretta.com | €€–€€€*

DIE PATIN DER SCHILDKRÖTEN

June Haimoff kam 1975 mit ihrem kleinen Segelboot „Bouboulina" nach Dalyan. Die damals 53-jährige Engländerin entdeckte den İztuzu-Strand und verließ den Ort, um nach acht Jahren wiederzukommen und sich an diesem Strand eine Holzhütte zu bauen. Dabei entdeckte sie eines Nachts die Karettschildkröten bei der Eiablage. Als Ende der 1980er-Jahre ein großes Hotel hier gebaut werden sollte, nahm sie ihren Kampf um die Erhaltung der Brutstätten der seltenen Schildkröten auf. Daran beteiligte sich publizistisch damals auch die deutsche „tageszeitung" in Berlin, was zu dem Erfolg – u. a. der Verhinderung des Hotelprojekts – beitrug. Die 2009 eingebürgerte „Kaptan June" lebt in Dalyan und kümmert sich um ihre Stiftung *(www.dalyanturtles.com)*.

KILIM HOTEL

Gemütlich, mit großem Garten und Pool, ruhig, angenehme Atmosphäre, die Wirtsleute sprechen Deutsch. Haustiere sind willkommen. *16 Zi. | Kaunos Sokak 7 | Tel. 0252 2 84 22 53 | www. kilimhotel.com | €–€€*

NATURAL VILLA APARTMENTS

50 m vom Kanal entfernt sind die Apartments in einem hübschen Neubau mit Swimmingpool untergebracht. Klimatisierte Wohnungen mit Küche, Bad und Balkon. *Gülpınar Mahallesi | Tufan Cad. 78 | Tel. 0252 2 84 35 32 | www. natural-villa.com | €€*

AUSKUNFT

DALYAN TURIZM DANIŞMA

Atatürk Kordonu 1 | Köyceğiz | Tel. 0252 2 84 42 35 | www.dalyanonline.net

ZIELE IN DER UMGEBUNG

ÇAMUR BANYOLARI (SCHLAMMBÄDER) ● (125 E5) (ᗰ E6)

Wer von Dalyan aus den Fluss statt in Richtung Meer etwa 1 km flussaufwärts fährt, kommt zu den Schlammbädern von *Horozlar (Çamur Banyoları)*. Das sind heiße Schwefelquellen, die dort am Fuß der Berge aus der Erde sprudeln. Man kann sich selbst eine Schlammpackung auflegen oder einfach nur zum Spaß im heißen Wasser toben. Von Dalyan aus fahren regelmäßig Boote zu den heißen Quellen. *Eintritt ca. 5 Euro*

EKINCIK (125 E5) (ᗰ D6)

Das Dörfchen Ekincik, vor allem aber die gleichnamige Bucht, sind ein Kleinod, das unter Yachttouristen sehr beliebt ist. Von Dalyan aus erreicht man die Ekincik-Bucht am einfachsten mit einem Ausflugsboot, vorbei am İztuzu-Strand an der

Küste entlang nach Westen (ca. 1 Std.). Es verkehren aber auch Minibusse dorthin. Am Ende der Bucht, die einem Fjord gleicht, liegt Ekincik. Wenn man bei der Fahrt in die Bucht hinein auf halber Strecke rechter Hand anlegt, findet man über eine steile Treppe eines der schönsten Restaurants an der ganzen Küste: ★ *My Marina (Tel. 0252 2 66 02 76 | €€€)*. Di-

Schlammpackung in den Çamur Banyoları

rekt am Ende der Bucht liegt das schöne *Ekincik Butik Hotel (27 Zi. | Tel. 0252 2 66 02 03 | www.hotelekincik.com | €€)*. Auch eine Wanderung von Dalyan zur Ekincik-Bucht ist möglich. Am Kai, wo die Boote zu den Felsgräbern ablegen, setzt man zuerst kurz hinüber. Dort beginnt die Straße, die am antiken Kaunos vorbei zum Dorf Çandır führt. Der ausgeschilderte Weg bietet schöne Aussichten und endet in der Ekincik-Bucht. Er dauert bis zu drei Stunden. Zurück kann man mit dem Boot (oder dem Minibus) fahren. Die Kiefern mit weißen Mähnen, denen man unterwegs begegnet, sind eigentlich mit Vogelmist bedeckt. Hier hausen in Berghöhlen vom Aussterben bedrohte Adler.

KÖYCEĞIZ (125 E5) (*∅ E5*)

Im Hinterland von Dalyan liegt der 50 km² große See von Köyceğiz, einst eine Meeresbucht, die nach der Antike verlandete. Da sein Wasser durch den Kanal gespeist wird und leicht salzig ist, kommen hier auch Meeresfische vor. Erste Siedlungen gab es bereits 3400 v. Chr.; Skyther, Assyrer, Ioner, Dorer, Perser, Hellenen, Römer und schließlich die Osmanen haben in den Bergen um den See herum ihre Spuren hinterlassen. Das Städtchen kommt provinziell daher, ist sehr türkisch und sehr ruhig. Es gibt kleine Hotels und Pensionen wie das etwas am Rande gelegene *Panorama Plaza (28 Zi., 4 Suiten | Ulucamii Mahallesi | Cengiz Topel Cad. 1 | Tel. 0252 2 62 37 73 | www.panorama-plaza.com | €€)* im schönen Garten mit Außenpool. Montags gibt es in Közcegiz einen schönen, dörflichen Markt. Angler können ohne Angelschein ihr Glück versuchen – Köder und Haken für die einheimische Meeräsche *(kefal)* werden am Kai angeboten. Das Wasser ist etwas trüb, aber zum Schwimmen geeignet. Einen kleinen Strand gibt es im Osten des Uferstreifens, mit Amberbäumen im Rücken, Duschkabinen und Kiosk.

Köyceğiz ist auch für seine heißen Quellen berühmt, die INSIDER TIPP *Sultaniye Kaplıcaları*. An der Südwestseite des Sees, am Fuße des Ölemez-Hügels, sprudeln die radioaktiven Heilquellen, die bereits zu byzantinischen Zeiten genutzt wurden. Die Quellen sind mit einem Kuppelbau überdacht; es gibt einen Außenpool für Schlammkuren, Umkleidekabinen, Duschen, ein Restaurant und Ruheräume. Die Bäder im 39–42 Grad heißen Wasser sollen gegen Rheuma, Lumbago, Haut- und Nervenkrankheiten helfen. Boote vom Kai fahren morgens zu den Quellen und bringen die Gäste ab dem frühem Nachmittag wieder zurück.

LOW BUDGET

▶ Die *Ideal Pension (12 Zi. | 1. Karagözler | Zafer Cad. 6 | Tel.0252 6 14 19 81 | www.idealpension.net)* in Fethiye bietet kostenloses WLAN, Shuttleservice vom Busbahnhof und eine Terrasse mit Yachthafen-Blick. Nette, familiäre Herberge. DZ ab 25, Bett im Dreier-Zi. ab 10 Euro.

▶ Luxusanlagen sind vor Ort unbezahlbar, werden aber bei uns als Last-Minute-Angebote oft für den halben Preis angeboten. Familien mit Kleinkindern sind deshalb z. B. im *Club Lykia World (269 Zi. | Kidrak Mevkii | Ölüdeniz | Tel. 0252 6 17 02 00 | www.lykiaworld.com)* in der Off-Saison (April/Mai, Okt.) glücklich.

▶ In der *Midas Pension (10 Zi. | Inh. Selçuk Nur | Tel. 0252 2 84 21 95 | www.midasdalyan.com)* in Dalyan sitzt man auf der Holzterrasse über dem Fluss und schaut auf lykische Felsgräber – und das für nur ca. 25 Euro im DZ.

▶ Nicht nur in der Kneipengasse von Marmaris gibt es zwischen 17/18 und 19/20 Uhr eine Happy Hour – da kostet ein großes Bier nur 2 Euro.

SARIGERME (125 E6) (*∅ E6*)

Wegen ihrer Nähe zum Flughafen Dalaman ist die Bucht von Sarıgerme in den 2000er-Jahren zu einem Top-Tourismusziel aufgestiegen. Da, wo einst das antike Physilis stand, gibt es heute einen feinen Sandstrand mit einem blauen Himmel, der neun Monate im Jahr ungetrübt bleibt. Das ca. 800 m landeinwärts liegende Dorf *Osmaniye* war jahrhundertelang Ankunftsort der für den Schiffbau bestimmten Holzstämme. Vor dem 7 km langen Strand liegt im flach abfallenden Meer die Insel *Baba Adası*, für gute Schwimmer leicht zu erreichen. Während die Boote auf der Strandseite ankern, ist die felsige Rückseite der Insel ein Paradies für Taucher. Bed & Breakfast

Auch außerhalb der Saison herrscht reges Treiben, weil die Stadt der wichtigste Handelsplatz für die Agrarproduktion der Umgebung ist. Fethiye war ursprünglich eine lykische Stadt, die nach der Eroberung durch Alexander den Großen den Namen Thelmessos erhielt. Hinter dem Hafen wurde ein Amphitheater aus dieser Zeit ausgegraben. Es ist frührömisch und wurde im 2. Jh. n. Chr. renoviert.

Im Yachthafen von Fethiye starten die Boote zur Blauen Reise

und Pensionen sind im Dorf vorhanden, 5-Sterne-Anlagen wie *Hilton* oder *Robinson Club* ebenfalls. Von hier aus kann man gut zur *Kapıdağ-Halbinsel* wandern, wo die Ruinen der lykischen Städte *Kyra*, *Lissai* und *Lydai* zu besichtigen sind.

FETHIYE

KARTE IM HINTEREN UMSCHLAG
(126 A4) (*F6*) **Fethiye (80 000 Ew.) ist die größte Stadt der Südwestküste und bis heute nicht vollständig vom Tourismus dominiert.**

5000 Sitze umfassend diente es unter Byzanz als Arena für Wagenrennen. Die Kommune restaurierte es als Veranstaltungsort. Thelmessos machte sich in der Antike als Orakelstadt einen Namen. Auf dem Hügel im Süden liegt die schöne Akropolis mit einem Theater sowie den Ruinen einer Burg, die vermutlich durch die Johanniter erbaut und später durch die Osmanen weiter benutzt wurde.

Die Erinnerung an den lykischen Ursprung der Stadt wird durch die ⭐ *Felsgräber* im Berghang südlich des Zentrums wach gehalten. Die schönsten Sarkophage befinden sich neben der Stadtverwaltung am Hafen. Unter den Osmanen hieß die Hafenstadt Megri, bis sie 1934 in Erinnerung an den ersten gefallenen türkischen Piloten der Geschichte, Fethi Bey, in Fethiye umbenannt wurde. Die *Alte Moschee (Eski Camii)* und das ● *Hamam* aus dem 18. Jh. sind im *Markt (Paspatur)* zu besichtigen. Das schöne Bad mit seinen 14 Kuppeln ist immer noch in Betrieb und einen Besuch wert!

Fethiye ist Ausgangspunkt für die berühmten „Blaue Reisen" und für den lykischen Wanderweg *(s. Ausflüge & Touren)* und eignet sich auch gut für Ausflüge in die Umgebung – zu Fuß, per Auto oder Boot. Bei Tagesausflüglern sind vor allem die Buchten zwischen Fethiye und Göcek beliebt: 17 km fährt man zu der großen Bucht von *Katrancı,* wo ein Mischwald in die See übergeht. Mai bis Oktober darf hier gezeltet werden. Am Ufer entlang gelangt man zur Bucht *Kızlar,* ebenfalls von Kiefern umgeben und etwas ruhiger. Hier gibt es einige kleine Gaststätten. 2 km von Katrancı entfernt erreicht man – zu Fuß oder per Minibus – die INSIDER TIPP *Günlüklü-Bucht* mit ihren Amberbäumen, unter denen man zelten darf. Auch die *Küçük Kargı* ist voll mit Amber und liegt auf der Route der Minibusse, die nach Fethiye zurückfahren.

SEHENSWERTES

FETHIYE MÜZESI

Das Stadtmuseum besitzt u. a. gute archäologische und ethnologische Abteilungen. Es gibt interessante Funde, die bis ins 8. Jh. v. Chr. zurückgehen. *Di–So 9–17 Uhr | Eintritt 2 Euro | Kesikkapı Mahallesi | Okul Sokak 1*

GRAB DES AMYNTAS

Das sehenswerteste lykische Königsgrab der Region thront hoch über der Stadt (220 Stufen!). Es weist eine vorgebaute,

15 m hohe ionische Tempelfassade und ein in Stein nachgeahmtes Holzportal auf. Die Lykier bestatteten ihre Toten in erhöhten Felskammern, da sie glaubten, dass die Seelen der Verstorbenen von Sirenen in den Himmel getragen würden. Der Aufstieg zum Königsgrab ist ausgeschildert. *Eintritt 2 Euro*

ESSEN & TRINKEN

MEGRI LOKANTASI

Traditionslokal im Markt, hervorragende türkische Topfgerichte. *Cumhuriyet Mah. | Türkocağı Sok. 10 | Tel. 0252 6 14 40 46 | www.megrirestaurant.com | €€*

SPINNAKER

Schickes Fischrestaurant an der Promenade von Fethiye. *Kordon Boyu | Tel. 0252 6 12 04 32 | €€€*

EINKAUFEN

Im Zentrum von Fethiye gibt es ein traditionelles Basarviertel *(Paspatur)*, wo Sie u. a. Stoffe, Teppiche, Meerschaumpfeifen und Süßigkeiten kaufen können. Die Kelims werden in den Bergdörfern gewebt und mit Wurzelfarbe veredelt. Regionaltypisch sind die schmalen, farbigen Stoffgürtel *(Kolan)*. Dienstags findet der *Wochenmarkt (Pazar)* statt, wo Sie all das und noch viel mehr finden. Im *Imagine Bookstore (tgl. 9–18 Uhr | Atatürk Cad. 18)* gibt es neben deutschsprachiger Literatur auch eine gute Auswahl an Karten und CDs.

STRÄNDE

Die Strände von Fethiye liegen nördlich der Stadt in Richtung Göcek und natürlich in Ölüdeniz. Der größte – er ist schmal, aber 5 km lang – und beliebteste ist *Çalış*. Er eignet sich besonders gut zum Surfen. Wer es ruhiger will, fährt nach *Belcekız, Katrancı* oder *Günlüklü*. Vom Busbahnhof in Fethiye verkehren Sammelbusse.

FREIZEIT & SPORT

Tauchen bieten *European Diving Centre (Fevzi Çakmak Cad. 53 | Tel. 0252 6 14 97 71 | www.europeandivingcentre. com)* oder *Divers' Delight (Dispanser Sok. 25/B | Tel. 0252 6 12 10 99 | www. diversdelight.com)*. Paragliding vom 2000 m hohen Babadağ hinab zum Belcekız-Strand gehört zu den größten Attraktionen, u. a. bei *Focus Tours (Tel. 0252 6 17 04 01 | www.focusparagliding. com)* oder *Extreme Tandem (Tel. 0252 6 17 01 20 | ca. 100 Euro)*. Jeepsafaris in die Berge organisieren *Hotel Cypriot*

Reichhaltiges Angebot auf dem Wochenmarkt in Fethiye

(25 Zi. | Hisarönü | Tel. 0252 6 16 79 16 | www.hotelcypriot.com) und *Garfield Travel Agency (Fevzi Çakmak Cad. | Yat Limanı 9/B | Tel. 0252 6 14 93 12 | 20–80 Euro)*. Der letzte Schrei sind `INSIDER TIPP` **Microlight-Flüge vom Babadağ**: Die leichten Fluggeräte sind motorisiert, der Flug dauert ca. 20 Min. (um 90 Euro). Los geht's von der Piste in Ovacık bei Hisarönü. Besonders beliebt: `INSIDER TIPP` **White Water Rafting auf dem Fluss Dalaman**, u. a. angeboten von *Activities Unlimited PTT (PTT Karşısı | Hisarönü | Tel. 0252 6 16 63 16 | www.activities-unlimited-turkey.com)*, in 90 Min. Entfernung von Fethiye. Und schließlich ist Fethiye Ausgangspunkt für die ★ ● *„Blaue Reise"*. Informieren Sie sich vor Ort über die Touren und lassen Sie sich die Boote zeigen, z. B. von Kayhan Selçuk von *Alesta Yachting (Telgraf Apt. 9 | Yat Limani Karsisi 15 | Tel. 0252 6 14 18 61 | www.alestayachting.com)*. Preise variieren je nach Saison, Boot und Route.

AM ABEND

In Fethiye gibt es in der Nähe des Alten Basars und an der Promenade am Hafen viele Cafés und Kneipen, in denen man abends essen, trinken und lange sitzen kann. Die atmosphärisch schönsten Kneipen finden Sie in Ölüdeniz, am Belcekız-Strand oder an der Lagune selbst. Die Sammelbusse fahren bis Mitternacht nach Fethiye zurück.

`INSIDER TIPP` BUZZ BAR
Ruhige Bar unter dem Dach des *Deniz Camping* direkt am Meer, ideal für einen Aperitif zum Sonnenuntergang. *Tgl. 19–2 Uhr | Ölüdeniz | Tel. 0252 6 17 05 26 | www.buzzbeachbar.com*

THE WHITE DOLPHIN BAR
Edle Terrassenbar mit Kerzenlicht, Bougainvilleen und einem grandiosen Sternenhimmel. *Tgl. 18–2 Uhr | Ölüdeniz | Tel. 0252 6 16 60 36*

Unerschrockene wagen sich zum Rafting auf den Dalaman

ÜBERNACHTEN

CLUB HOTEL LETOONIA

Nur 4 km von Fethiye entfernt, eine der schönsten Clubanlagen der Südwestküste mit 2 km langem Privatstrand. Die 165 000 m² große Anlage liegt auf einer bewaldeten Landzunge. Indoor-Thalasso-Pool, Sauna, Sport, diverse Restaurants. *111 Zi., 509 Bung. | Tel. 0242 4 44 02 80 | www.letoonia.com | €€€*

FERAH HOTEL ☼

7 Min. Fußweg vom Yachthafen entfernt bietet die auch als *Monica's Place* bekannte Pension saubere, zweckmäßige Zimmer. Vom Schlafsaal oben hat man einen Rundumblick über Fethiye. Schöner Innenhof. *9 Zi. plus Schlafetage | 2. Karagözler | Orta Yol 23 | Tel. 0252 6 14 28 16 | www.ferahpension.com | €*

HILLSIDE BEACH CLUB

Exklusiv in eigener Bucht; stilvoller Familienurlaub mit großem Sportangebot. Zwei Konzepte hat der Club: aktiv mit viel Sport oder Entspannung mit „Silent Beach" sowie Filmabenden am Meer nur für Erwachsene. Geräumige Zimmer (20–50 m²). *330 Zi. | Kamelya Köyü | Tel. 0252 6 14 83 60 oder 0212 3 62 30 30 | www.hillsidebeachclub.com | €€€*

OCAKKÖY ☺

Das einst griechische Dorf Ovacık auf dem Weg nach Ölüdeniz hat sich zum Juwel im Grünen entwickelt: Natursteinbungalows, großes Gelände, zwei Pools. *8 Zi., 6 Ap., 32 Bung. | Ovacık 7 km von Fethiye | Ramazan Kaya | Tel. 0252 6 16 61 56 | www.ocakkoy.de | €€*

YACHT BOUTIQUE

Für eine Übernachtung in Fethiye selbst ist das Designhotel gegenüber dem Yachthafen eine gute Wahl. Angenehme große Zimmer, schöner Blick, Pool. *45 Zi. | 1. Karagözler | Tel. 0252 6 14 15 30 | www.yachthotelturkey.com | €€€*

AUSKUNFT

TURIZM DANIŞMA

İskele Meydanı 1 | Tel. 0252 6 14 15 27 | www.fethiye.net

ZIELE IN DER UMGEBUNG

GÖCEK (125 F6) (*ᗰ E6*)

Das Städtchen am Nordende des Fethiye-Golfes gehört zu den feinsten Adressen der Küste. Ein Bauboom führte zur Verstädterung des bis in die 2000er-Jahre unberührten Fleckens. Das Leben spielt sich heute um die drei Marinas herum ab. Vom Anleger starten Touren zu umliegenden Buchten und Inselchen, u. a. zu den sieben *Yassıcalar-Inseln* („Die Platten"), die man nach 90 Min. Fahrt erreicht und nach dem Ankern schwimmend abklappern kann. *Bedri Rahmi Koyu* ist eine Bucht, die nach dem Maler und Dichter Bedri Rahmi Eyüboglu (1911–75) benannt wurde – einem der Istanbuler Intellektuellen, die sich in den 1950ern der anatolischen Kulturen vor dem Islam annahmen. Er hat sich hier mit einem Fischbild auf einem Felsen verewigt. In Göcek liegen die Preise deutlich über dem Durchschnitt. Das gilt auch für das schönste Hotel am Ort, das **INSIDER TIPP** ▶ *Swissôtel Marina & Spa Resort (57 Zi. | Mai–Okt. | Cumhuriyet Mah. | Tel. 0252 6 45 27 60 | gocek. swissotel.com | €€€)*, wo man mit dem Golfcar zum Strand fährt. Ebenfalls sehr fein ist das *Lykia Resort Hotel (95 Zi. | Tel. 0252 6 45 28 28 | www.goceklykiaresort. com | €€€)*. Göcek eignet sich gut für einen relaxten Urlaub im Apartment, z. B. im *Mr. Dim Apart Otel (13 Zi. | Cumhuriyet Mah. | İnönü Bulvarı 1. Sok. | Tel.*

Ruinen am Berghang: Kayaköy, die verlassene Stadt

0252 6 45 19 69 | www.mrdim.com | €€) mit Außenpool. Das beste Fischrestaurant gehört *Aliço (neben Skopea-Marina | Tel. 0252 6 45 10 24 | €€€).* Weniger teuer, aber auch gut ist das *Can (Tel. 0252 6 45 15 07 | €€).* Wer nobel ausgehen will, kehrt später im *North Shields Pub (Port Göcek)* ein. *Von Fethiye 30 km | Sammelbusse vom Busbahnhof*

KAYAKÖY ● (126 A5) (*ⵌ F6*)

Das Dorf ist ein beeindruckendes Zeugnis menschlicher Unvernunft. Mit zwei Kirchen schön an einem Hang gelegen, stellt man erst auf den zweiten Blick fest, dass alle Gebäude Ruinen sind. Kayaköy, früher Levisi, ist seit 1923 eine Geisterstadt. Bis dahin lebten hier 3500 Griechen, die nach dem türkischen Sieg im Unabhängigkeitskrieg aufgrund des gegenseitigen Bevölkerungsaustauschs ihre Häuser verlassen mussten. Mit dem Tourismus kehrte wieder Leben ein. Restaurants, Pensionen und Teehäuser wurden eröffnet; die große Kirche wird restauriert. Im Rahmen von **INSIDER TIPP**► *Kaya Sanat Kampı (Kunstlager | Tel. 0533 7 63 67 73 | www.sanatkampi.com),* einer Künstlerinitiative, kann man in restaurierten Häusern übernachten und nebenbei töpfern, malen und fotografieren lernen: *Gençtur İstanbul (İstiklal Caddesi 212 | Aznavur Pasajı | Kat 5 Galatasaray | Beyoğlu | İstanbul | Tel. 0212 2 44 62 30 | www.genctur.com). Eintritt 2,50 Euro | von Fethiye 8 km | nur mit Taxi*

INSIDER TIPP► KELEBEKLER VADISI (TAL DER SCHMETTERLINGE)
(126 A5) (*ⵌ F7*)

Ein Stück Paradies ist das Tal in Faralya, 5 km südöstlich von Ölüdeniz. Es schneidet tief ins Gebirge ein und endet an einem wunderbaren Strand. Der antike Name lautete Perdicia. Im 19. Jh. wurde es von Anwohnern in Güldürümsü umgetauft. Der isolierte Canyon hat Felsenwände, die bis zu 400 m hoch sind. Am oberen Ende gibt es einen 60 m hohen Wasserfall. Da es hier außer einigen Bungalows keine Übernachtungsmöglichkeiten gibt, ist Zelten eine Alternative; Dusche und WC sind vorhanden, Komfort darf man in sanitärer Hinsicht nicht erwarten *(Handy 0555 6 32 02 37).* Das Tal ist berühmt für seine seltenen Schmetterlingsarten und den von hier aus besonders gut zu beobachtenden Sternenhagel von Mitte Juli bis Ende August. Minibusse vom Busbahnhof verkehren relativ oft. Zu Fuß ist der Weg vom Dorf Faralya hierher etwas beschwerlich; bei der *George House Pension (12 Bung. plus mietbare Zelte | Kelebekler Vadisi Girişi | Tel. 0252 6 42 11 02)* führt ein Pfad z. T. steil abfallend ins Tal, man hält sich bei Bedarf an bereitgestellten Stricken fest. Der Abgang dauert 45 Min. und ist nur Menschen ohne Höhenangst zu empfehlen. Die bequemste Alternative: Das Boot vom Belcekiz-Strand in Ölüdeniz *(Juni–Sept. tgl. 11, 12, 14, 16, 18 und 19 hin und 9.30, 10.30, 13, 14.30, 17 und 18 Uhr zurück nach Ölüdeniz, von wo man auch gut nach Fethiye zurückkommt).*

ÖLÜDENIZ ★ ● (126 A5) (*m* F6–7)

Die Lagune, die nur durch einen schmalen Durchfluss mit dem Meer verbunden ist, ist eine Augenweide: azurblaues Wasser und weiße Sandstrände, gerahmt von grünen Pinienwäldern: ein perfektes Idyll. Von Fethiye führt eine 14 km lange Straße serpentinenartig durchs Gebirge hinunter zum *Belcekiz-Strand,* dem linken Abschnitt der großen Bucht, an deren rechtem Ende die Lagune Ölüdeniz liegt. 950 ha Land sind hier zum Naturschutzgebiet erklärt worden. Belcekiz war noch vor 30 Jahren ein Geheimtipp; Globetrotter auf dem Weg nach Katmandu machten hier gerne Halt. Heute ist der Abschnitt Ölüdeniz ein öffentliches Strandbad mit Eintritt. Man kann Kanus und Kajaks mieten. Am Belcekiz-Strand gibt es immer noch Campingplätze, aber

das „paradise" ist längst nicht mehr so „isolated" wie in den frühen Zeiten. Ein stilles Eckchen, vor allem im Frühjahr und Herbst, ist trotzdem das INSIDER TIPP ▶ *Hotel Meri (94 Zi. | Tel. 0252 6 17 00 01 | www.hotelmeri.com | €€),* das älteste vor Ort. Die Bars am Belcekiz-Strand sind die schönsten in Fethiye. *Von Fethiye 12 km | Sammelbusse vom Busbahnhof*

PINARA ✿ (126 A5) (*m* F7)

Die Reste der antiken lykischen Stadt Pınara lohnen die Anfahrt von Fethiye schon wegen ihrer grandiosen Lage. Auf einem Hochplateau gelegen, das an drei Seiten abfällt und vor einer Felswand endet, in der Gräber in die Mauer geschlagen sind, hat man einen wunderbaren Rundblick. Außerdem finden sich noch beeindruckende Zeugnisse antiker Kulturen aus der Zeit um 400 v. Chr. Von Stadttoren über Königsgräber bis zu den Resten eines Theaters und einer Festung kann man ungefähr die Ausmaße der früheren Stadt erahnen. *Eintritt 2,50 Euro | von Fethiye 40 km in Richtung Kalkan*

ZWÖLF-INSEL-TOUR (125 F6) (*m* E–F6)

Morgens geht's los vom Kai: Zwischen 10 und 11 Uhr legen die Ausflugsboote ab zur *Oniki Adalar Turu.* Ölüdeniz und die Inseln bei Göcek liegen auf der Route. Die größeren Inseln heißen *Kızılada* („Rote Insel"), *Delikli* („Die Gelochte"), *Yassıca* („Die Platte"), *Tersane* („Werftinsel"), *Domuz* („Schweineinsel") und *Şövalye* („Ritterinsel"). Letztere wurde von den Kreuzfahrern auf Rhodos benutzt und ist noch bewohnt. Auf der Werftinsel sind die Überreste einer antiken Werftanlage zu besichtigen. In der Hamam-Bucht, wo die Boote für eine Schwimmpause ankern, sieht man im Wasser die Ruine eines byzantinischen Klosters. Während der Ankerpausen hat man Gelegenheit für Abstecher ins Landesinnere.

MARMARIS

KARTE IM HINTEREN UMSCHLAG
(125 D5) (*D6*) **Einst das Urlaubsparadies der britischen Arbeiterklasse, hat Marmaris den Sprung in die erste Liga geschafft. Hotels, Restaurants, Märkte: Alles ist auf dem Weg, feiner und schöner zu werden.**

Lange weinte man hier dem malerischen Fischerdorf am Fuße einer Burg nach, das Marmaris noch bis in die 1980er-Jahre war. Hier konnte man gut Fisch essen und bescheiden unterkommen. Danach wurde Marmaris (im Sommer 150 000 Ew.) von britischen Reiseveranstaltern entdeckt und vermarktet. Die ganze Stadt schien fortan im Sommer fest in der Hand der Briten zu sein, die aber kaum wirklich Geld daließen. Die großen Kreuzfahrtschiffe waren es, die den Basar von Marmaris am Leben hielten. Als in den umliegenden Buchten ein neues, hochwertiges Hotel nach dem anderen entstand, strömten auch Besucher anderer Nationen hierher. Die *Netsel Marina* ist mit 1500 Liegeplätzen der größte Segelstützpunkt im gesamten östlichen Mittelmeer; vom Hafen aus kann man täglich nach Rhodos übersetzen. Feine Ferienresorts, Spa-Hotels, Marina-Restaurants und ein relaxtes Publikum – Marmaris verändert sein Gesicht. Geblieben ist die wunderschöne Kulisse: Hier gehen die Wälder bis ans Ufer, im Hinterland erfrischt man sich in kühlen Gebirgsflüssen, man schläft unter Eukalyptus- oder Amberbäumen und atmet saubere Luft. Umliegende Buchten wie *Turunç* oder *İçmeler* sind im Sommer nicht so heiß und weniger überlaufen. Hier gibt es auch schöne Campingplätze.

Auch kulturell hat Marmaris aufgeholt: Im 7000 Menschen fassenden Amphitheater und in der historischen Burg gibt es oft Openairkonzerte. Der Kultur- und Kunstverein MAKSAD, das Kammerorchester (Tickets: *www.biletix.com.tr*), die städtische Kunsthochschule und das Kulturzentrum machen aus Marmaris eine richtige Kulturstadt. Im Frühling und Herbst zeigt sie sich von ihrer schönsten Seite. Ausflugsboote zu Stränden in der Umgebung legen jeden Morgen um 10 Uhr vor dem Atatürk-Denkmal am Yeni Kordon ab *(5–10 Euro)*. Längere Bootstouren nach Ekincik, Dalyan oder Bodrum starten vom Hafen aus. Die Fähren nach Rhodos legen hinter der Segelmarina ab *(www.marmaris-travel.com)*.

SEHENSWERTES

KALE (BURG)

Die Burg über der kleinen Altstadt wurde 1522 von Suleiman dem Prächtigen für sein Rhodos-Unternehmen an der Stelle einer ionischen Befestigungsanlage erbaut. Im Kastell ist ein kleines Museum mit archäologischen Stücken untergebracht *(Di–So 8–12, 13–15 Uhr)*. Das Kastell thront über dem Hafen *(Eintritt 2 Euro)*. Ebenfalls aus dem 16. Jh. stammt die Karawanserei *Hafza Sultan* in der Stadtmitte, wo heute ein Souvenirladen neben dem anderen steht.

ESSEN & TRINKEN

In und um den Basar herum gibt es gute *lokanta* und Dönerbuden. Abends flaniert man im alten Hafen, wo die Restaurants meist feste Menüpreise haben und man gut dinieren kann.

AQUARIUM ●

Das Bar-Restaurant an der Uferpromenade (Richtung Kreuzfahrthafen) liegt optimal und bietet einen sehr guten Service. Geschmackvolle Einrichtung, gute Küche. Auch tagsüber kann man hier bei einem

Kaffee lange sitzen und aufs Wasser und die Promenade schauen. *Barbaros Caddesi | Tel. 0252 4 13 15 22 | €€*

BUHARA

Das Buhara hebt sich mit gutem Essen, großer Auswahl und vernünftigen Preisen von der Konkurrenz ab. *Netsel Marina | Tel. 0252 4 12 39 69 | €€*

DEDE RESTAURANT

Fisch und Meeresfrüchte in der Marina; lecker der Fischeintopf aus dem Ofen! *Barbaros Cad. 15 | Tel. 0252 4 13 17 11 | www.dederestaurant.com | €€*

MY MARINA ENGLISH PUB

Die britisch angehauchte Kneipe im Hafen gehört zu den besten Pubs vor Ort. Nicht nur Ale, sondern auch Pils! *Netsel Marina | Tel. 0252 4 12 09 76 | €€€*

SOFRA

Riesige Auswahl an Vorspeisen, Kebab, Pide und Hausmannskost. Von früh morgens bis spät in die Nacht geöffnet. Hier speisen die Einheimischen. *36. Sokak | €*

Das Teuerste bieten die Boutiquen in der *Netsel Marina*, das Billigste gibt's auf dem Wochenmarkt. *Marmaris Merkezi* heißt der Basar mit Leder-, Teppich- und Juweliergeschäften, die durch den Kreuz-

Ein schönes Plätzchen: Restaurantterrasse im Hafen von Marmaris

fahrttourismus etwas verwöhnt sind. Freitags wird in einem Parkhaus in der Neustadt ein 🌀 Markt aufgebaut, auf dem Dörfler aus der Umgebung ihre frischen Ökoprodukte anbieten.

STRÄNDE

Marmaris hat einen Stadtstrand, der für einen Sprung ins Wasser immer gut ist. Besser ist es, ein Badeboot zur *Cennet-Insel*, zur Amazonen- oder *Kilise*-Bucht zu nehmen. Die Boote legen vor dem Atatürk-Denkmal am Hafen ab.

AM ABEND

Die ● *Hacı Mustafa Sokak* ist die quirlige Kneipenmeile von Marmaris. Hier gibt es zahlreiche Bars, auch für einen Drink am frühen Abend. Die *Marina* ist teurer, bietet aber einen tollen Blick über die Bucht. Schöne Beach Bars gibt's in der *Uzun Yalı Sokak*. Unvergesslich: eine Mondschein-Bootstour *(22–ca. 2 Uhr | 5 Euro | Abfahrt am Hafen)*. Im *Netsel Marina Cinema (Yat Limanı | Tel. 0252 412 27 08)* gibt's die neuesten Kinohits im Original (meist auf Engl.) mit türkischen Untertiteln.

BAR X
Mit Terrassenbar, Beach Bar und einer 250 m² großen Indoor-Diskothek ist die *Bar X* eine der bekanntesten Adressen für lange Nächte in Marmaris. *Tgl. bis 4 Uhr | Uzun Yali Sokak 72 | Tel. 0252 413 13 45*

CHEERS DANCE BAR
Cocktailbar, die sich im Laufe des Abends in eine Diskothek verwandelt. Mit dem Sound der 1960er- und 70er-Jahre zieht sie nicht nur junge Leute an. *Tgl. 19–4 Uhr | in Küstennähe, hinter der Shell-Tankstelle | Tel. 0252 412 67 22*

GREEN HOUSE
Eine der beliebtesten Adressen in der Kneipenmeile. Auch im Winter geöffnet. *Hacı Mustafa Sok. 89 | Tel. 0252 412 50 71*

ÜBERNACHTEN

ANEMON
Zentrales, gutes Mittelklassehotel mit Pool, auch im Winter geöffnet. Wer nicht in die Buchten ausweichen will, ist hier richtig. *89 Zi. | Kemal Elgin Bulvari 63 | Tel. 0252 413 30 31 | www.anemonhotels.com/marmaris.asp | €–€€*

GÜLŞAH PANSIYON
Von der Hauptstraße zurückversetzte, nette Pension. Der Sandstrand ist nur 50 m entfernt. Vor dem Haus gibt es ein Café, in dem man frühstücken und abends Bier trinken kann. Die Zimmer sind klimatisiert und haben kleine Balkone. *20 Zi. | Atatürk Cad. 52 | Tel. 0252 412 66 42 | www.gulsahpansiyon.com | €*

INBÜKÜ CAMPING
Schöner, umweltfreundlich geführter Campingplatz auf 4 km langem Ufergelände unter Amberbäumen. Es gibt Zelte und Bungalows zu mieten und ein nettes Caférestaurant. *An der Landstr. Marmaris–Datça, km 27 | Tel. 0252 436 91 19 | €*

MARTI LA PERLA
Eines der ältesten Luxushotels von Marmaris liegt in der Bucht Icmeler (ca. 5 km vom Zentrum). 2013 renoviert, schöner Pool, türkisch-italienische Küche, 100 m langer, eigener Sandstrand. Keine Kinder unter 16 Jahren! *182 Zi. | Cumhuriyet Mah. | 320. Sok. 8 | Icmeler | Tel. 0252 455 33 89 | www.marti.com.tr | €€€*

AUSKUNFT

TURIZM DANIŞMA
İskele Meydanı 2 | Tel. 0252 412 10 35 | www.marmaris-online.com | www.marmarisinfo.com

ZIELE IN DER UMGEBUNG

REŞADIYE-HALBINSEL
(124 A–C 5–6) (⏿ A–C6)
Im Westen von Marmaris reckt sich die Reşadiye-Halbinsel in Form eines Zeigefingers und Daumens in die Ägäis. Das antike *Knidos* und die beschauliche Hafenstadt *Bozburun* an beiden Enden sind beliebte Anlaufplätze für Segler. Drei Naturprodukte prägen dieses weithin unberührte Stück Natur: Honig, Oliven und Mandeln. 52 Buchten säumen die Halbinsel, am bekanntesten sind *Palamutbükü, Hayitbükü* und *Ovabükü*. Der alte Ortskern von *Datça* befindet sich in der Mitte der Halbinsel. Hier haben sich tür-

kische Intellektuelle und Künstler einge-
richtet. Die Neustadt ist weiter im Westen, am Meer. Viele Naturfreunde fahren
wegen der Fauna nach Datça: 849 Pflan-
zenarten sind hier zu Hause, von denen
25 endemisch sind. Nicht zuletzt dar-
über informiert der *Datça Tourismus-
verein DAÇEV (Atatürk Cad. 71 | Sok. 1 |
www.dacev.org.tr)*. Ein netter Familien-
betrieb ist das *Badem Motel (16 Zi. | Pa-
lamutbükü | Tel. 0252 725 51 83 | www.
bademmotel.com | €)* in der klaren Bucht
von Palamutbükü; eine einfache, saubere Herbergen mit guter Verpflegung.

INSIDER TIPP *Bozburun* gilt als Refugium
für zivilisationsmüde Aussteiger. Trotzdem ist alles da: ein kleiner Yachthafen,
Restaurants und Cafés entlang der Mole,
kleine Pensionen. Auch der Verkehr hält
sich noch in Grenzen, weil in Bozburun
die Straße endet. Bozburun ist berühmt
für seine Schiffswerften – hier wird ein
großer Teil der *Gulets*, der aus Holz ge-
fertigten Großsegler für die „Blaue Reise", gebaut. Eine komfortable Unter-

kunft ist *Sabrinas Haus (20 Zi. | Tel. 0252
4 56 20 45 | www.sabrinashaus.com |
€€€)* direkt am Meer.

TURUNÇ (125 D5) (ₘ C–D6)

Turunç war bis vor kurzem noch ein Geheimtipp. Heute wird es mit Minibussen
von Marmaris aus (ca. 20 km) angefahren und hat einen entsprechenden touristischen Aufschwung erlebt. Trotzdem
ist die von hohen Bergen umgebene
Bucht vor allem für Familien immer noch
ein wunderbarer Ferienort mit preiswer-
ten Pensionen und kurzen Wegen zum
Strand. Eine nette Adresse ist *Adrienne's
House (5 Zi. | Gülhak Mah. 41 | Tel. 0252
4 76 79 51 | €€)* am Dorfrand, geführt
von einem englischen Ehepaar. Alterna-
tive: das INSIDER TIPP *Loryma Re-
sort Hotel (80 Ap. | Tel. 0252 4 76 72 20 |
www.loryma.com | €€€)*, ein anspruchs-
volles Öko-Aparthotel hoch über Turunç,
mit tollem Blick, schönem Pool, hausge-
machtem Essen, Kinderbetreuung und
Shuttlebus zum Strand.

Bau eines traditionellen Gulets in Bozburun

ANTALYA – LYKISCHE KÜSTE

Von Fethiye bis Antalya erstreckt sich die antike Küste der Lykier. Es scheint, als drängten die Berge ins Meer. Aus 3000 m Höhe fallen die Hänge des Taurus steil zum Wasser ab, der Küstenstreifen ist deshalb oft schmal und zerklüftet. Der Kontrast zwischen den grünen Berghängen und dem tiefblauen Meer ist das Besondere an diesem Teil der Küste.

An manchen Stellen ist die Straße nicht mehr als eine in den Berg gehauene Trasse, an der einen Seite der Abgrund zum Meer, an der anderen der steile Berghang. Wo es dann doch zu eng wurde, hat man die Küstenstraße ins Hinterland verlegt und gut ausgebaut, sodass die Strecke relativ leicht zu befahren ist.

Die lykische Küste ist ein Ziel für Reisende, die das Besondere lieben und nicht nur einen Badeurlaub wollen. Kurz hinter Fethiye Richtung Antalya liegen die historischen Zentren des alten Lykien. Man kann Touren zu antiken Heiligtümern unternehmen, zu versunkenen Städten vor der Küste abtauchen oder nachts die ewigen Flammen am Berg Olympos bewundern. Auch Strandurlauber finden hier ihr Traumhotel. Auf den letzten 100 km vor Antalya sind rund um das ehemalige Fischerdorf Kemer Ferienanlagen entstanden, die zu den besten der Türkei gehören. Sonne, Meer und Spaß sind die Magneten, die jährlich Millionen von Urlaubern hierher locken. Und: Mit ihren abgelegenen Fischerdörfern und kleinen, vom Massentourismus verschonten Orten ist die lykische Küste ideal für einen romantischen Urlaub zu zweit.

Bild: Blick über die Altstadt von Antalya

Buchten, Berge, beeindruckende Felsen-
gräber der Lykier und Antalya, die lebhafte
Metropole der Südküste

ANTALYA

KARTE IM HINTEREN UMSCHLAG
(127 E–F3) (∅ K5–6) **Antalya**
(Großraum 2,1 Mio. Ew.) ist mehr als
nur der größte Verkehrs- und Güterum-
schlagplatz an der Südküste. Es ist eine
der schönsten Städte der Türkei, aber
auch eine wirtschaftliche Boomtown.
Doch deren Herz ist intakt. Die Altstadt
Kaleiçi („Innere Festung") ist ein Kleinod: eines der größten Ensembles osma-

CITY WOHIN ZUERST?
Saat Kulesi: Das Zentrum ist
der Platz am Uhrenturm oberhalb
des „Geriffelten Minaretts". Von
hier aus läuft man in die verwin-
kelten Gassen der Altstadt (Kaleiçi)
hinunter oder in den nahen Basar.
Am Uhrenturm fahren auch die Busse und Sammeltaxen zu den Stadt-
stränden ab. Auch der schöne Ata-
türk-Park am Meer ist nicht weit.

ANTALYA

Gute Adresse – das Restaurant
Alp Paşa Konaği

ten Gassen, durch die Altstadt an Souvenirläden vorbei zum Hafen. Vom Uhrturm aus nach rechts (in Blickrichtung auf die Altstadt) beginnt die *Cumhuriyet Caddesi*, eine palmengesäumte Promenade, die in westlicher Richtung die Altstadt begrenzt. An der Promenade liegen schöne Teegärten und kleine Parks, von wo aus man einen phantastischen Blick auf Kaleiçi und den Hafen hat. Für den Abend finden sich hier auch etliche Restaurants, die allein schon wegen ihrer Aussicht empfehlenswert sind.

Gegenüber dem Uhrturm beginnen der *Basar* und eine Fußgängerzone, in deren Seitengassen preiswerte Lokale gutes Essen anbieten. Vom Turm in östliche Richtung verläuft die *Atatürk Caddesi* ebenfalls immer an der Altstadtmauer entlang bis zum Stadtpark, der an den Steilklippen zum Meer hinab endet. Die Atatürk Caddesi ist Antalyas Einkaufsmeile; von teuren Boutiquen bis zu Secondhand-Mode ist alles vertreten.

nischer Holzhäuser, das die Türkei zu bieten hat. Die historische Altstadt wird von einer Stadtmauer eingefasst. Der berühmteste Zugang nach Kaleiçi ist das fast 2000 Jahre alte *Hadrianstor*, gebaut anlässlich eines Besuchs des gleichnamigen römischen Kaisers um 160 n. Chr.

In der Altstadt steht auch das zweite Wahrzeichen der Stadt, das *Yivli Minare*, das „Gerillte Minarett", ein Turm, der 1220 zu Ehren des seldschukischen Herrschers İzzeddin Keyhüsrev gebaut wurde, der Antalya von den Byzantinern eroberte. Neben dem Turm steht die *Ulu Camii*, eine 1373 erbaute, in ihrer Schlichtheit beeindruckende Moschee. Der *Uhrturm* oberhalb des Minaretts, ein weiteres Wahrzeichen, ist bereits Ausdruck der modernen Stadt des 19. Jhs. Vom Turm führt die *Uzun Çarşı Sokak*, eine der größ-

SEHENSWERTES

ANTALYA MÜZESI (ARCHÄOLOGISCHES MUSEUM) ★ ●

Das Archäologische Museum in Antalya gehört zu einem der wichtigsten der Türkei. Neben prähistorischen Funden u. a. aus der nahe gelegenen Karain-Höhle glänzt das Museum durch Originalstatuen aus den umliegenden antiken Stätten, durch Gold- und Silberschmuck, Waffen und Gewänder. *Cumhuriyet Caddesi, Ecke Konyaaltı Caddesi | Di–So 9–12.30, 13.30–17 Uhr | Eintritt 10 Euro*

KALEIÇI (ALTSTADT) ★ ●

Sobald man aus der modernen Großstadt in das Gassengewirr eintaucht, glaubt man sich in ein anderes Jahrhundert versetzt. Die labyrinthartigen Gässchen sind oft so eng, dass Autos hier nicht fahren

52   www.marcopolo.de/tuerkei-suedkueste

können. Viele der ehemals großen Stadt-villen wurden vor dem Verfall gerettet und sind heute zu bezaubernden kleinen Hotels umgewandelt.

So verwirrend das Gassengewirr zunächst scheint, alle Wege führen zum Hafen. Rund um den Hafen reiht sich ein Lokal ans andere; über steile Treppen erreicht man dazu noch ein paar Biergärten mit schönem Blick über die Schiffe. In der Kocatepe Sokak 25, unweit des Hadrianstors, wurde in einem der alten Herrschaftshäuser, den sogenannten *Konaks*, ein **INSIDER TIPP** *Kaleiçi-Museum (Do–Di 9–18 Uhr | Eintritt 3 Euro)* eingerichtet, in dem das Leben einer typischen Familie des Viertels nachvollzogen werden kann.

ESSEN & TRINKEN

INSIDER TIPP ALP PAŞA KONAĞI
Es ist etwas Besonderes, im Innenhof des schönen Stadthauses am Pool zu Klavier-klängen vom Büfett zu schlemmen. *Kaleiçi | Hesapçı Sokak 30–32 | Tel. 0242 2 47 56 76 | www.alppasa.com | €€€*

EXTRABLATT
Ableger der deutschen Kaffeehauskette: deutsche und italienische Küche in Bistro-ambiente; große Terrasse. Ganz Antalya trifft sich hier. *İsmet Gökşen Caddesi 10 | Lider Plaza | Tel. 0242 3 16 60 07 | www. cafe-extrablatt.com | €€*

HACI HASAN
Tageslokal mit guter türkischer Küche, abseits des Touristenpfads hinter dem Basar. *Balbey Mahallesi | 444. Sokak 10 | (in der Nähe der Balbey-Moschee) | Tel. 0242 2 42 55 82 | €*

INSIDER TIPP 7 MEHMET
Auf seiner Stirn ist eine Narbe, die aus-sieht wie eine Sieben. Deshalb wird er seit seiner ersten Schulzeit von allen nur „7 Mehmet" genannt. Angefangen hat Mehmet als Suppenkoch im Basar. Heute führt er eines der besten Restaurants von Antalya mit herrlicher Aussicht und fei-ner türkisch-osmanischer Küche. *Atatürk Kültür Park 201 | Tel. 0242 2 38 52 00 | www.7mehmet.com | €€–€€€*

⭐ **Antalya Müzesi**
Archäologisches Museum u. a. mit Göt-terstatuen aus Perge
→ S. 52

⭐ **Kaleiçi (Altstadt)**
Die osmanische Altstadt mit Restaurants und Läden umrahmt Antal-yas Hafen → S. 52

⭐ **Perge**
Antike Hafenstadt mit Marktstraße und großem Stadion
→ S. 57

⭐ **Termessos**
Uneinnehmbare lyki-sche Bergfestung mit Theater in 1000 m Höhe
→ S. 58

⭐ **Patara**
Unter dem schönen Strand liegt eine römische Hafenstadt
→ S. 60

⭐ **Xanthos**
Besuch in der Haupt-stadt des einstigen lykischen Reiches bei Kınık → S. 61

⭐ **Kekova**
Eine im glasklaren Wasser versunkene Stadt in der Bucht vor Kekova → S. 64

⭐ **Myra**
In der Stadt des hl. Nikolaus liegen schö-ne Felsgräber der Lykier
→ S. 65

⭐ **Phaselis**
Antike Hafenstadt mit Badestrand, antikem Theater und Pinienwald bei Kemer → S. 69

MARCO POLO HIGHLIGHTS

EINKAUFEN

Unter dem Dach riesiger Einkaufszentren wie ● *Migros (www.antalyamigros.com)* mit 128 Läden im gleichnamigen Stadtteil oder *Terracity (Tekelioglu Cad. 55 |*

BAZAAR 54

Großes Einkaufszentrum für Touristen: Teppiche, Juwelen, Lederprodukte; gute Qualität, nicht überteuert. Etwas außerhalb, in Serik. *Aspendos Bulvarı, Demokrasi Kavşaği | Serik | www.bazaar54.net*

Die Gassen der Altstadt laden mit ihren vielen kleinen Läden zum Bummeln ein

www.terracity.com.tr) in Lara gibt es von Textilien, Leder und Juwelen bis zu Souvenirs so ziemlich alles, was das Herz begehrt. Das traditionellere Einkaufsviertel ist *Konyaaltı*. Viele kleine Souvenirgeschäfte und Teppichhändler finden Sie in *Kaleiçi*. Lohnende Wochenmärkte: zwischen *Ali Çetinkaya* und *Mevlana Caddesi (Di)*, in der *Işıklar Caddesi (Mi)*, um *Konyaaltı* herum *(Fr)* und in *Lara (Sa)*. Eine Spezialität Antalyas sind die Döşemealtı (sprich Döschemealtı) genannten Nomadenteppiche. Im Dorf **INSIDER TIPP** *Kovanlik (35 km | Minibus vom Busbahnhof)* kann man diese handgeknüpften, naturgefärbten Teppiche am preiswertesten erwerben.

DERIMOD

Die beste türkische Marke für Lederkleidung *(www.derimod.com.tr)* ist nicht allzu teuer. *Im Migros-Einkaufszentrum | Yüzüncü Yıl Bulvarı 155*

GÜVEN

Gold- oder Silberschmuck ist in Antalya billiger als in touristischen Orten wie Kemer, Side oder Alanya. Juweliere gibt es u. a. im Norden der Atatürk-Allee, wie den Juwelier Güven. Der Goldpreis wird täglich ausgehängt. *Atatürk Caddesi 25*

NETWORK/ALTINYILDIZ

Feine Stoffe mit klassischem Design zeichnen diese Ladenkette für Damen-

und Herrenmode aus. *Konyaaltı Caddesi 24/2 | www.network.com.tr*

INSIDER TIPP **PAŞABAHÇE**

Die staatliche Glas- und Porzellanfabrik bietet hohe Qualität zu kleinen Preisen. Alltagsgeschirr, hochwertiges Porzellan, modernes Glasdesign, Importprodukte, aber auch teure Repliken altosmanischer Stücke. Die Ware wird fachgerecht verpackt. *Im Einkaufszentrum Carrefour (gegenüber der Lider Plaza) | Şirinyalı Mahallesi | İsmet Gökşen Caddesi*

STRÄNDE

Antalya hat zwei Strände in Stadtnähe, Lara und Konyaaltı. Von der Atatürk-Allee starten Busse zum 10 km entfernten *Lara,* der feinen Sand zu bieten hat. Hier ist in den letzten Jahren ein neuer Hotelbezirk entstanden, in dem Themenhotels wie „Titanic", „Kreml" oder „Weißes Haus" herausragen. Der *Konyaaltı*-Strand liegt im Westen, zwischen den Klippen und dem Beydağlari-Gebirge im Hintergrund. Der Zutritt zum Kieselstrand ist frei, Schirme und Liegen sind kostenpflichtig. Achtung: Das Meer wird schnell tief hier! Von der Altstadt *(Kaleiçi)* starten morgens auch Boote zu den Stränden. Direkt in der Altstadt liegt der kleine ● *Mermerli*-Strand – sehr schön zur entspannenden Erfrischung nach einem Stadtbummel. Zum ausgiebigen Baden lässt man sich aber am besten mit dem Boot zur *Sıçan-Insel* übersetzen.

FREIZEIT & SPORT

Von Antalya aus werden Touren zu allen Zielen in der Umgebung angeboten, dazu Jeepsafaris in die Taurusberge oder Rafting auf dem Köprüçay-Fluss. Selbst Hubschrauber-Touren nach Pamukkale (siehe Marco Polo Band „Türkische West-

küste") oder nach Kappadokien sind nur eine Preisfrage; u. a. *Maki Tour (Kaleiçi | Uzun Çarşı Sok. 16b | Tel. 0242 2 41 45 41 | www.makitour.com).*

Direkt am Hafen liegt die *Rainbow-Tauchschule (Kaleiçi | Yat Limanı 30 | Tel. 0242 2 48 12 57 | www.apdivers.de)*, die Tauchkurse und Exkursionen für erfahrene Taucher anbietet. Besonders reizvoll sind Tauchgänge zu einem Schiffswrack und die Erkundung von Unterwasserhöhlen. Mitten in der Altstadt liegt der historische ● **INSIDER TIPP** *Sefa Hamamı (tgl. 9–23 Uhr | Kocatepe Sokak 32 | Tel. 0242 2 41 23 21 | www.sefahamam.com | ein Badegang mit Peeling und Massage ca. 12 Euro)* aus dem 15. Jh. Das türkische Bad ist sehr schön restauriert und bietet allen Service: Massagen und Dampfbäder für Damen und Herren separat.

AM ABEND

Antalya verbindet die Vorzüge einer Großstadt mit dem Angebot eines Touristenortes. Es gibt mehrere Theater und Kinos (z. B. im Migros-Einkaufszentrum). Ende September findet alljährlich das renommierte Filmfestival *Altın Portakal* („Goldene Apfelsine", *www.altinportakal.org.tr*) statt. Neben den Kneipen am Hafen stehen noch drei große Diskotheken zur Auswahl, die schönste davon ist der *Club 29* mit einer Openair-Tanzfläche. Beliebt sind auch die *Olympus Disco* im Garten des *Falez Hotels* am Konyaaltı-Strand und das schicke *Jolly Joker (İsmet Gökşen Caddesi | gegenüber dem Einkaufszentrum Carrefour | Lara)* mit 1980er-Jahre Retro-Songs und türkischem Rock.

ÜBERNACHTEN

KALEICI PANSIYON

Kleine, attraktive Pension mitten im Zentrum, von der aus die Sehenswürdigkei-

Romantisch: Blick über Antalyas Hafen bei Nacht

ten zu Fuß erreichbar sind. Klimaanlage, schöner Garten mit Pool. *10 Zi. | Kılıçaslan Mahallesi | Sakarya Sokak 11 | Tel. 0242 2 41 01 88 | www.kaleicipansion.com | €*

TEKELI KONAKLARI
Boutiquehotel in der Altstadt. Sechs liebevoll restaurierte osmanische Stadtvillen: von den Kacheln bis zur Zedernholzdecke alles Handarbeit. *8 Zi. | Dizdar Hasan Sokak | Tel. 0242 2 44 54 65 | www.tekeli.com.tr | €€*

THE MARMARA
Das Besondere an diesem Fünfsterne-Hotel etwas abseits vom Zentrum in Lara ist seine tolle Lage über den Felsen. Pool, großer Außenbereich, Spa, Sauna. *234 Zi. | Muratpaşa | Eski Lara Yolu 102 | Tel. 0242 2 49 36 00 | antalya.themarmarahotels.com | €€€*

TUNALI APART
Schlichte, saubere Wohnungen für 4 Personen (Ausziehcouch für weitere 2

Pers.) mit TV, WLAN und Klimaanlage. Im Garten gibt es einen Pool, ein Restaurant und eine Poolbar. Zum Strand sind es 250 m. *16 Ap. | Akdeniz Bulvarı | Liman Mahallesi | 5. Sokak 2 | Tel. 0242 2 59 07 00 | €*

VILLA PERLA
Wunderbar restaurierte Villa in der Altstadt mit verglaster Terrasse, Pool und Garten. Unter dem Haus liegt eine byzantinische Zisterne, die Zimmer sind geräumig, das **INSIDER TIPP** Restaurant ist erste Klasse (türkisch-osmanische, auch vegetarische Gerichte). *10 Zi. | Kaleiçi | Barbaros Mahallesi | Hesapçı Sokak 26 | Tel. 0242 2 48 97 93 | www.villaperla.com | €€€*

AUSKUNFT

TURIZM DANIŞMA
Cumhuriyet Caddesi | Özel İdare İşhanı | Tel. 0242 2 41 17 47 | www.antalya-ws.com

ZIELE IN DER UMGEBUNG

DÜDEN-WASSERFÄLLE ●
(127 F3) *(𝄜 K5)*

Der Düden-Fluss bildet in der unmittelbaren Umgebung von Antalya gleich zwei Wasserfälle, die beide einen Ausflug lohnen. Der erste liegt nordöstlich vom Stadtzentrum, dort wo der Fluss aus dem Taurusgebirge kommt. Der zweite Wasserfall ergießt sich über die Steilfelsen an der Küste direkt ins Meer. Obwohl der untere Wasserfall *(Aşağı Düden Şelalesi)*, ca. 8 km vom Stadtzentrum an der Straße zum Lara-Strand, spektakulärer ist – das Wasser stürzt aus 60 m Höhe ins Meer –, ist auch der obere Wasserfall reizvoll. Drumherum wurde ein schöner Park angelegt, der zu einem Spaziergang einlädt. Über eine Treppe gelangt man in eine Höhle hinter den Wasserfall. Im Juli und August verkümmert er jedoch häufig zu einem schmalen Rinnsal, weil das Düden-Wasser für die Bewässerung der Baumwollfelder abgezweigt wird. *Die Ausfallstraße nach Norden (Abzweig Düden Şelalesi) ist ausgeschildert | Minibusse vom Busbahnhof*

INSIDER TIPP ELMALI **(126 C4)** *(𝄜 H6)*

Um Antalya herum sind die riesigen Wälder nicht erst in der Neuzeit, sondern bereits durch die Jahrtausende hindurch von all jenen Zivilisationen vernichtet worden, für die das Holz ein wertvolles Handelsgut war – besondern das harte Zedernholz *(Cedrus libani)*, das für Schiffsrümpfe unentbehrlich geblieben ist. Im Naturschutzgebiet Elmalı gibt es noch mehrere Dutzend über 1000 Jahre alter Bäume, die alle unter Schutz stehen, z. B. der 25 m hohe und 2018 Jahre alte *Koca Katran*. Der Naturpark liegt ca. 165 km von Antalya und 16 km von der Kleinstadt Elmalı entfernt in den Bergen. Ein lokaler Guide ist empfehlenswert, um die uralten Bäume ausfindig zu machen *(Serdar Çakar: Handy 0532 4 57 52 39; Förster: Tel. 0242 6 18 25 01)*. Im Dorf *Akçeniş* gibt es eine Übernachtungsmöglichkeit, das *Hotel Three Angels (Tel. 0242 6 25 50 59 | €€)*, um die Wanderungen in der herrlichen Umgebung fortzusetzen.

PERGE ★ **(127 F3)** *(𝄜 K5)*

Perge (18 km östlich von Antalya) gehörte zu den größten antiken griechischen Städten an der Südküste Anatoliens. Beim Rundgang durch das Ausgrabungsgebiet kann man sich vorstellen, welche Ausdehnung die Siedlung einmal gehabt haben muss. Über eine riesige Fläche verstreut liegen Reste antiker Bauten, die immer noch auf ihre Klassifizierung warten. Ein großer Teil der antiken Stadt ist gut erhalten. Vor allem das *Stadion*, gleich an der Zufahrtsstraße zum Parkplatz, ist das am besten erhaltene in der ganzen Türkei. Zu römischen Zeiten wurden hier auch Gladiatorenkämpfe veranstaltet. Sehr schön ist der frühere Markt, die *Agora*. Man kann heute noch die Grundrisse der Läden entlang der Hauptstraße deutlich erkennen. Das Artemis-Relief auf einer der Säulen links an der Hauptallee soll als Vorlage für die New Yorker Freiheitsstatue von Bartholdi gedient haben, der das Werk ursprünglich für die Einfahrt des Suez-Kanals geschaffen hatte. Der Khedive, d. h. der Statthalter des osmanischen Sultans in Ägypten, Ismail Pascha, scheute aber den Vorwurf der Götzenanbeterei und ließ die Statue schließlich doch nicht dort aufstellen. Das Kunstwerk lagerte eine Zeitlang in Paris und wurde schließlich in 350 Einteilteilen nach Amerika verschifft und 1885 dort wieder zusammengestellt. Wenn möglich sollten Sie Perge besuchen, wenn es nicht zu heiß ist, da es in dem weitläufigen Gelände kaum Schat-

Auf den Spuren von Griechen und Römern: Ruinenstätte Perge

ten gibt. *Richtung Alanya bis Aksu, weiter über eine ausgeschilderte kleine Straße 3 km nach Perge | Sammelbusse vom Busbahnhof Antalya | tgl. 9–19 (Nov.–März 8.30–17) Uhr | Eintritt 6 Euro*

TERMESSOS ⭐ 🌿 (127 E3) (𝕄 J5)
Nördlich von Antalya, hoch in den Bergen des Taurus, liegt eine der beeindruckendsten antiken Stätten der Türkei: In über 1000 m Höhe, mitten in einer grandiosen Berglandschaft, liegt Termessos wie ein Adlerhorst am Berghang. Es ist die einzige lykische Stadt, die von Alexander dem Großen nicht erobert werden konnte. Bis heute sind Teile der ehemaligen Stadtmauer erhalten, aber auch Reste von Tempeln und ein am Berghang gebautes *Theater*, von dem aus man einen wunderbaren Blick auf die Berge und Wälder der Umgebung hat. Es ist allerdings bis heute nicht ganz leicht, Termessos zu erreichen. Die Ausgrabungsstätte liegt in einem Nationalpark, und das Sammeltaxi *(Dolmuş)* von Antalya

fährt nur bis zum Eingang des Parks. Hier kann man sich in einem kleinen *Museum* vorab über die antike Stätte informieren. Für Kinder gibt es ausgestopfte Tiere zu bestaunen und Baumhütten zu besteigen. Mit dem eigenen Auto oder einem Taxi darf man die folgenden 9 km auf steil ansteigender Straße weiterfahren bis zum Parkplatz, von dem aus dann immer noch ein gut 20-min. Fußweg zu bewältigen ist. *35 km Richtung Korkuteli | im Güllük-Dağı-Nationalpark | tgl. 8–18 Uhr | Eintritt ca. 2 Euro*

KALKAN

(126 B6) (𝕄 F7) **Das früher griechische Fischerdorf Kalamaki wird heute von deutschen Türkei-Kennern gern als das „Sylt am Mittelmeer" bezeichnet.**

Kalkan (4000 Ew.) ist klein, exklusiv, ein architektonisches Juwel und war lange ein Refugium der türkischen Oberschicht, der Bodrum, Marmaris oder Antalya zu voll geworden waren. Während Alanya fest in deutscher Hand ist, dominieren hier die Engländer, die sich Ferienwohnungen und -häuser gekauft haben. Weiß gekalkte Häuser und Terrassen prägen das Panorama des Ortes am Hang. Die Preise sind insgesamt höher als anderswo, aber die feine Atmosphäre entschädigt. Das Meer ist hier, wie auch im benachbarten *Kaş*, etwas steinig. Aber dafür ist es so sauber, dass man jeden Stein darin zählen kann. Und mit *Kaputaş* und *Patara* sind große Sandstrände nicht weit. Außerdem ist Kalkan ein guter Standort, um wichtige antike Stätten der Lykier wie *Xanthos* und *Letoon* zu besuchen und einen Ausflug zur griechischen Insel *Kastellorizo* zu machen.

ESSEN & TRINKEN

INSIDER TIPP ► AUBERGINE

Das Restaurant an der Hafenmole wird seit 1996 von Mehmet Bilgiç geführt und gilt unter Feinschmeckern als eines der besten an der südlichen Küste. Neben Fisch gibt's auch Wildbret und Auberginen-*Güvec* (Gemüseeintopf aus dem Tontopf). *Yalıboyu Mahallesi | Hafenmole Nr. 25–27 | Tel. 0242 8 44 33 32 | www.kalkanaubergine.com | €€€*

CAFÉ DEL MAR

Der Familienbetrieb ist eines der beliebtesten Kaffeehäuser am Ort. Es gibt neben hausgemachtem Kuchen und kleinen Snacks wie Toast oder Hamburgern gute Cocktails. Kostenloses WLAN und Buchtausch. *Yalıboyu Mahallesi | Hasan Altan Caddesi 61 | Tel. 0242 8 44 10 68 | www.cafedelmarkalkan.com | €*

ÜÇ KARDEŞLER ALABALIK

Gartenlokal im Dorf İslamlar, 10 km von Kalkan, für den rustikalen Geschmack. In diesem Bergdorf ist es auch im Hochsom-

mer angenehm kühl. Das Restaurant holt seine Forellen frisch aus eigenen Teichen. *İslamlar | Tel. 0242 8 38 61 55 | €€*

STRÄNDE

Kalkan selbst hat nur einen Kieselstrand am östlichen Ortsrand zu bieten. Ein schöner Platz ist der 8 km entfernte *Kaputaş Plajı*. Reizvoll ist eine Tagestour mit dem Boot vom Hafen in Kalkan aus, bei der Sie sowohl zum Baden als auch zur Besichtigung von Grotten und bizarren Felsen kommen. Ca. 10 km westlich liegt der wunderschöne Sandstrand von *Patara*, 18 km lang und stellenweise bis zu 300 m breit. Von Kalkan verkehren Minibusse nach Patara.

AM ABEND

In Kalkan bleibt man abends meist bis spät in der Nacht im Restaurant. Viele Hotels haben schöne Terrassenbars, die

Schönster Strand bei Kalkan: Kaputaş Plajı

man nacheinander ausprobieren kann. Weitere Kneipen gibt es am Hafen *(Yalı, Yachtpoint Bar, Fener Café)*, alle in der Hafenpromenade Yalıboyu oder in der Iskele Sokak.

ÜBERNACHTEN

CLUB XANTHOS HOTEL
Das Clubhotel in der nahen Bucht Kalamar direkt am Strand bekam 2009 den „Quality Award" von Studiosus-Reisen. Große Zimmer; der Pool wird mit Meerwasser gefüllt. *70 Zi., 9 Suiten | Kalamar Koyu | Tel. 0252 8 44 23 88 | www. clubxanthos.com | €€*

MOONLIGHT PENSION ☼
Tolle Hanglage, Superblick: Die einfache und saubere Pension liegt so traumhaft, dass man am liebsten den ganzen Tag auf der Terrasse sitzen möchte. Helle Zimmer, WLAN. *6 Zi. | Kalamar Yolu 9 | Tel. 0242 8 44 39 79 | www. moonlightterrace.com | €*

INSIDER TIPP ▶ VILLA MAHAL
Weiß-blaue Villa hoch über Kalkan, luxuriös eingerichtet, mit eigenem Strand, eine der exklusivsten Adressen im Ort; teuer, aber wunderschön! *11 Zi., 2 Suiten | gegenüber dem Club Patara | Tel. 0242 8 44 32 68 | www.villamahal.com | €€€*

ZIELE IN DER UMGEBUNG

LETOON (KUMLUOVA)
(126 A5–6) (*⑪ F7*)
Letoon war das sakrale Zentrum des griechisch-lykischen Bundes. Hier standen die wichtigen Tempel der Göttin Leto und deren Kinder Apollon und Artemis. Wahrscheinlich war der Platz bereits eine Kultstätte der Lykier, bevor diese nach der Eroberung durch Alexander den Großen unter griechischen Einfluss kamen.

Von dem ehemals größten Tempel der Leto, der *Stoa-Halle*, sind heute nur noch die Stümpfe der Säulen zu sehen, die wie die Reste einer im Wasser versunkenen Stadt aussehen, weil der Grundwasserspiegel mittlerweile so weit gestiegen ist, dass die Fundamente der Halle im Wasser verschwunden sind. Etwas höher gelegen sind die Überreste dreier Tempel: das *Heiligtum der Leto*, der ehemalige *Apollo-Tempel* und dazwischen ein kleinerer *Bau zu Ehren von Artemis*. Die Tempel stammen aus der Zeit um 400–150 v. Chr. Außer den Tempeln und der Halle findet man in Letoon noch Zeugnisse aus römischer und byzantinischer Zeit, u. a. ein Theater und eine Basilika. *Eintritt 2 Euro | Abzweig von der Straße nach Fethiye 2 km hinter dem Dorf Kınık, weitere 4 km zum Heiligtum*

PATARA ★ (126 A6) (*⑪ F7*)
Patara an der Mündung des Bachs Esen war eine der sechs wichtigen lykischen Metropolen, die im Bund jeweils drei Stimmrechte besaßen (Xanthos, Patara, Pinara, Tlos, Myra und Olympos). Das lykische „Parlament" bestand aus 1400 Abgeordneten und trat in Patara zusammen. Vor ihrer Verlandung im 9. Jh. lag die Hafenstadt ca. 30 m höher als heute. Jetzt liegt die Ausgrabungsstätte 600 m landeinwärts. Apollon, Gott der sittlichen Reinheit und Mäßigung, der Weissagung und der Künste, der Musik, der Dichtkunst und des Gesangs, soll seine Winter immer hier an den kilometerlangen Stränden verbracht haben. Das Heiligtum in Delphi, die bedeutendste Orakelstätte der Antike, war ihm geweiht *(www.patara-excavations.com, www. lycianturkey.com)*.
Heute ist vom alten Glanz leider nicht mehr viel zu sehen. Das *Stadttor* aus dem Jahr 100 n. Chr. und das *Theater* am Nordhang sind die am besten erhal-

tenen Relikte. Der Hafen ist versumpft, und der größte Teil der Stadt ist unter dem Strand verschwunden. Stattdessen ist aus der ehemals größten Hafenstadt nun der größte und schönste Sandstrand (300 m breit, 18 km lang) entlang der lykischen Küste geworden. Unweit vom Dorf *Gelemiş* ist das kleine, ruhige Hotel **INSIDER TIPP** *Patara View Point (15 Zi., 6 Villen mit eigenem Pool | Tel. 0242 8 43 51 84 | www.pataraviewpoint.com | €€)* am herrlichen Sandstrand ein Stück Paradies. Der riesige Strand ist nach wie vor ein Refugium für alle, die mit dem Meer und den Dünen allein sein wollen. *Von Kalkan ca. 10 km | der Zugang zum Strand ist kostenpflichtig, weil es gleichzeitig der Eingang zu der antiken Stätte Patara ist | Eintritt 5 Euro*

SAKLIKENT (126 B5) (*F7*)

Die Schlucht von Saklıkent ist ein tief in den Berg hineingefressener Canyon, durch den ein eiskalter Gebirgsbach fließt. Man kann in der engen Schlucht am Wasser entlanglaufen und erreicht zum Schluss einen Talkessel, in den ein kleines Restaurant über den Fluss gebaut wurde. Die Schlucht ist selbst im Hochsommer immer angenehm kühl und deshalb eine höchst willkommene Abwechslung nach heißen Tagen am Strand. *Eintritt 2,50 Euro | auf der Strecke nach Fethiye biegt hinter Pınara eine ausgeschilderte Straße nach rechts ab, ca. 35 km von Kalkan*

XANTHOS ⭐ (126 A5) (*F7*)

Xanthos ist der Höhepunkt auf dem Weg in die lykische Vergangenheit. Die ehemalige Hauptstadt des lykischen Reiches ist immer noch ein imposantes Zeugnis antiker Kultur, auch wenn die schönsten Stücke im 19. Jh. von englischen Ausgräbern im Zuge eines „legalen Kunstraubs" nach London geschafft wurden. So ist das

Wandern im Cañon von Saklıkent

berühmte Neriden-Monument aus Xanthos jetzt im British Museum der englischen Hauptstadt zu besichtigen. Heute erreicht man die antike Stadt bei der Ortschaft Kınık durch ein Tor aus griechischer Zeit und einen römischen Triumphbogen, der zu Ehren des Kaisers Vespasian gebaut wurde. Von den Lykiern sind vor allem Gräber geblieben, große Sarkophage, die teilweise bereits im 5. Jh. v. Chr. gebaut wurden. Das beeindruckendste ist das *Harpyien-Monument*, dessen Relieffries Szenen von Sirenen (vogelartigen Geistern) zeigt, die nach lykischem Glauben die Seelen der Verstorbenen versorgten. Während oberhalb des Eşen, der im Altertum Xanthos-Fluss hieß, rund um das Theater die lykischen Gräber und die Reste der Akropolis zu sehen sind, liegen rechts von der Straße die römischen und byzantinischen Gebäude. *Tgl. 8–19 Uhr | Eintritt 3 Euro | auf der Straße nach Fethiye nach ca. 15 km Abzweig am Dorf Kınık*

KAŞ

(126 B6) *(∅ G7–8)* **Der Ort Kaş in einer großen Bucht tief unterhalb der Küstenstraße ist bis heute Hauptanziehungspunkt für Rucksacktouristen und Taucher an der türkischen Mittelmeerküste.** Kaş (7500 Ew.) ist zwar größer als Kalkan, hat aber auch keine Sandstrände und ist deshalb von großen Hotels verschont geblieben. In dem bis in die 1980er-Jahre verschlafenen, einst griechischen Dorf sind immer noch viele alte Häuser erhalten. Dass Kaş auch schon vor mehr als 2000 Jahren besiedelt war, zeigen lykische Grabsarkophage im Ort. Etwas außerhalb liegt ein gut erhaltenes griechisches Theater.

Kaş lebt von seiner ungezwungenen, kosmopolitischen Atmosphäre, dem jugendlichen Touch und den vielen netten Kneipen. Zum Baden haben einige Restaurants am Wasser Holzplattformen aufgebaut, von denen aus man bequem ins Meer springen kann. Für klassische Badeurlauber empfiehlt sich jedoch eher ein Quartier auf der *Çukurbağ*-Halbinsel, wo viele Ferienanlagen gebaut wurden. Kaş ist heute vor allem eine Domäne für Taucher. In den Buchten rund um den Ort liegen Reste lykischer Siedlungen unter Wasser, die in Tauchgängen erkundet werden können. Vom Hafen aus starten Boote für Tauchexkursionen und Ausflugsboote zur Insel *Kekova* oder der Kaş vorgelagerten griechischen Insel *Kastellórizo* (türkisch *Meis*).

LOW BUDGET

▶ In der *Pension Bacchus (14 Zi. | Kılıçaslan Mah. | Zeytin Çıkmazi Sok. 6 | Tel. 0242 2 41 69 41 | www. bacchuspension.com)* in der Altstadt von Antalya übernachtet man ab 13 Euro; einfach eingerichtet, aber nur 50 m zum Meer (ohne Strand).

▶ Garantiert frischen Fisch gibt's auf dem Fischmarkt von Antalya. Jeder Stand hat hinten sein eigenes Esslokal. Bei *Kismet Balik Sofrasi (tgl. 12–21 Uhr | Halk Pazari)* kosten ein großes Fischbrot 2 und ein Teller Kalamares 4 Euro.

▶ Blaue Reisen mit Charteryachten sind in der Off-Saison erheblich billiger. *Olympos Yachting (www. olymposyachting.com)* bietet in der Bucht von Kaş 3-tägige Segeltouren ab 155 Euro/Person (16. Mai–30. Juni und 16. Sept.–16. Nov.).

▶ In Kalkan ist donnerstags, in Kaş freitags Wochenmarkt. Neben Obst und Gemüse gibt es Käse und Kräuter der Region, aber auch schöne Handarbeiten und Stoffe billig zu kaufen.

ESSEN & TRINKEN

CHEZ EVY
Gutes französisches Gartenrestaurant mit originellen Lammgerichten und köstlichen Desserts. Reservieren! *Terzi Sok. 4 | Tel. 0252 8 36 12 53 | €€€*

MERCAN RESTAURANT ᴥ
Das älteste (seit 1956!) und angesehenste Fischlokal in Kaş bietet viel Raum direkt am Meer. Den Hummer kann man selbst im Becken aussuchen, gute Vorspeisen, frischer Fisch. *Süleyman Sandıkçı Sokak | Cumhuriyet-Platz am Hafen | Tel. 0242 8 36 12 09 | mercankas.net | €€€*

OBA
In dem kleinen *lokanta* nahe der Post gibt es gute türkische Hausmannskost: gute Suppen, leckere Reis- und Gemüsegerichte. Netter Garten. *Çukur-bağlı Caddesi 8 | €*

SULTAN GARDEN ᴥ
Der „Sultangarten" liegt direkt am Yachthafen, mit herrlichem Blick auf denselben. Das Restaurant ist berühmt für seine Fleischgerichte und seine köstlichen türkischen Vorspeisen wie *paçanga böreği* (Schinkenpastete). *Yat Limanı | Hükümet Caddesi 1 | gegenüber der Küstenwache | Tel. 0242 8 36 37 62 | www.sultangardenrestaurant.com | €€*

STRÄNDE
Der nächste Strand, *Küçük Çakıl Plajı*, liegt in östlicher Richtung und ist gut zu Fuß zu erreichen. Mit dem Boot können Sie auch zum *Limanağzı* fahren. Reizvoll sind Tagestouren nach *Patara* (43 km), zur *Kekova*-Insel (34 km, s. u.) und in umliegende Buchten.

FREIZEIT & SPORT
● Es gibt rund 15 Tauchschulen im Ort. Eine der besten ist *Barakuda (siehe Kapitel „Sport & Aktivitäten")*. Wenn Sie lieber über Wasser bleiben, setzen Sie sich in eines der auch als „Sea-Kayak" bezeichneten geschlossenen Boote aus Fiberglas. Damit können Sie paddelnd das Ökosystem erkunden, versunkene Häuser und Grabmale besichtigen und mit etwas Glück unterwegs vielleicht sogar Robben begegnen. Das Reisebüro *Dragoman Doga Sporları (Uzunçarşı Cad. 15 | Kaş | Tel. 0242 8 36 36 14 | www.dragoman-turkey.com)* organisiert z. B.

Hell erleuchtete Geschäfte auf der nächtlichen Hauptstraße von Kaş

KAŞ

Fünftagestouren mit Übernachtung in Zelten. Im Hinterland von Finike bietet Bernhard Brunauer mit seiner Ehefrau Şükriye herrliche **INSIDER TIPP** Mountainbike-Touren inmitten von Thymianfeldern an. Das Paar betreibt zugleich in 243 m Höhe das Hotel ☺ *Arykandos Mountain Lodge (Gökbük Köyü | Finike | Tel. 0242 8 62 30 59 | www.lykienbiker.de | auf der Landstr. Finike nach Elmalı 8 km vor Arifler links einbiegen und ca 1,5 km weiterfahren)* ein Angebot des sanften, nachhaltigen Tourismus'.

AM ABEND

Rund um den Hafen und die Antiquitätengasse gibt's viele nette Kneipen, wie *Janets Café Bar* oder das *Café Corner*. Hi-Jazz (Zümrüt Sokak 3) ist *der* Jazzclub des Ortes. Zu Rock- und Soulklängen tanzen kann man sehr gut im *Red Point Club (Süleyman Topçu Sokak 2)*.

ÜBERNACHTEN

AQUARIUS
Das Hotel auf der Çukurbağ-Halbinsel hat den besten Privatstrand in Kaş, ausgezeichnet mit der Blauen Flagge der EU für hervorragende Wasserqualität. Wer will, kann auch im Pool baden. *36 Zi. | Çukurbağ Yarımadası | Tel. 0242 8 36 18 96 | www.aquariusotel.com | €€*

INSIDER TIPP KAŞ CAMPING
Eine gemütliche und preiswerte Alternative zu den Hotels im Zentrum: Unweit vom Ort (nur 1 km hinter dem Theater) hat der Campingplatz einen guten Zugang zum Meer. Auf 7000 m² bietet er auch denen, die kein eigenes Zelt mithaben, 60 Übernachtungsmöglichkeiten im Zelt, Wohnwagen oder Bungalow. *Hastane Cad. 3 | Tel. 0242 8 36 10 50 | www.kaskamping.com | €*

OREO
Diving-Hotel mit Pool, nicht nur für Taucher. Nur 2 Min. zum Einkaufszentrum. Herrlicher Garten mit Oliven-, Granatapfel- und Zitronenbäumen. *30 Zi. | Yaka Mahallesi | Engin Sokak 2 | Tel. 0242 8 36 22 20 | www.oreohotel.com | €*

AUSKUNFT

TURIZM DANIŞMA
Cumhuriyet Meydanı 5 | Tel. 0242 8 36 12 38 | www.kas-tuerkei.de

ZIELE IN DER UMGEBUNG

KASTELLÓRIZO (MEIS)
(126 B6) (*⬥ G8*)
Nach ihrem griechischen Namen (Meyisti) auf Türkisch kurz Meis genannt, liegt die pittoreske Insel nur drei Seemeilen (ca. 1300 m) vor der Küste. Seit Ende 2006 haben Kaş und Meis eine Partnerschaft und veranstalten u. a. Schwimm- und Kayakwettbewerbe (Ende Juni). Der Ausflug zu der Dodekanes-Insel lohnt sich schon wegen der netten Seereise, und hübsche Tavernen gibt's auch. Die Fahrt dauert 20 Min. und kostet 20 Euro. Der Pass muß am Vorabend beim Zoll abgegeben werden. *Meis Express (Abfahrt in Kaş April–Okt. 10, Juli–Sept. auch 18 Uhr, Abfahrt Meis 15 und 23.10 Uhr, Nov.–März nur einmal tgl. 10.30 von Kaş und 13.30 Uhr von Meis | Ticket-Tel. 0242 8 36 17 25 | www.meisexpress.com)*

KEKOVA ⭐ (126 C6) (*⬥ H8*)
Eines der faszinierendsten Gebiete der ganzen Küste ist die Insel Kekova, östlich von Kaş, und der ihr gegenüberliegende Küstenstreifen. Die langgezogene Insel liegt wie ein Riegel vor einer großen Bucht, die dadurch so geschützt wird, dass sie fast wie ein Binnengewässer wirkt. Innerhalb dieser Bucht gibt es

Grundmauern unter Wasser: versunkene Stadt vor Kekova

eine Vielzahl kleiner Inseln und Felsen, die zusammen ein eindrucksvolles Panorama bilden. Auf der dem Land zugewandten, nördlichen Seite von Kekova gab es im Altertum mehrere ● Siedlungen, die heute teilweise unter Wasser liegen, aber noch gut erhalten sind. Man steht bis zu den Knien im Wasser und schaut auf Wohnungsgrundrisse herab! Überall in der Bucht ragen lykische Sarkophage aus dem Wasser und verstärken den einmaligen Charakter des Ortes. Auf dem Festland gegenüber der Insel liegen zwei Orte: Üçağız und weiter östlich Kaleköy, von denen besonders Kaleköy zu einem Aufenthalt einlädt.

Kaleköy ist eines der ganz wenigen touristischen Glanzlichter, das bis heute noch nicht über eine autofähige Straße erreichbar ist. Man kommt nach Kaleköy, dem historischen Simena, nur mit dem Boot. Unterhalb der von den Johannitern aus Rhodos im Mittelalter erbauten Burg liegen Restaurants und Pensi-

onen, die allerdings häufig ausgebucht sind. Nette Unterkunft: **INSIDER TIPP** *Kale Pension (7 Zi., 1 Ap. | Tel. 0242 8 74 21 11 | www.kalepansiyon.com | €€).*

In *Üçağız* gab es bis vor ein paar Jahren nicht viel mehr als ein paar Bootsstege, von wo aus man nach Kaleköy übersetzen konnte. Mittlerweile hat der Platz sich aber zu einem eigenen Ziel entwickelt. Wem Kaş bereits zu laut und Kaleköy zu abgelegen ist, der findet hier schöne Pensionen am Wasser. Von Kaş aus gibt es im Sommer täglich Bootstouren zur Kekova-Insel, die auch in Kaleköy anlegen. *Von Kaş über die Straße nach Finike, von der nach 10 km eine kleine Straße in Richtung Üçağız nach links abbiegt*

MYRA ⭐ (126 C6) (*∅ H7*)

Das antike Myra, einst eine wichtige lykische Stadt, ist heute vor allem als Wirkungsstätte des Nikolaus bekannt. Von der eigentlichen lykischen Stadt sind nur noch die Gräber zu besichtigen. Es gibt

KEMER

(127 E4–5) *(ll J6)* **Kemer (22 000 Ew.) ist das Zentrum eines 50 km langen Küstenstreifens südwestlich von Antalya, der zum touristischen Vorzeigegebiet der Mittelmeerküste ausgebaut wurde.** Von dem ehemaligen Fischerdorf ist nicht viel übrig geblieben. Kemer ist eine neu erbaute Ferienstadt, die zu hundert Prozent dem (vor allem russischen) Tourismus gewidmet ist. Hotels aller Variationen, eine neu gebaute Marina, Restaurants, Cafés und eine Aquaworld-Spaßanlage sind mitten im Ort. Trotzdem ist Kemer keine Betonwüste. Der Ort ist großzügig angelegt, mit viel Grün und autofreien Fußgängerzonen – ideal für alle, die kompletten Service, Deutsch sprechende Kellner, Sonne, Sand und blaues Meer suchen, ohne in einer All-inclusive-Ferienanlage abzutauchen.

In Stein gemeißelt: der heilige Nikolaus von Myra

aber kaum einen anderen Platz, an dem so viele prächtige lykische Felsgräber erhalten geblieben sind wie in Myra. Dicht an dicht stehen in dem steilen Hang die sogenannten Haustypgräber – in den Fels gemeißelte Fassaden, hinter denen sich die eigentlichen Gräber verbergen. Unterhalb von Myra, in *Kale* (gehört zum Ort Demre) steht die **INSIDER TIPP** *Basilika des Heiligen Nikolaus*, die in byzantinischer Zeit zum ersten Mal gebaut, aber mehrfach zerstört wurde. Die heutige Kirche wurde vom damaligen Zar Alexander II. im 19. Jh. aus Verbundenheit der Orthodoxie mit dem heiligen Nikolaus wieder aufgebaut. Zu Weihnachten findet hier ein christlich-islamischer Gottesdienst statt, der viele Besucher anzieht. *Eintritt ca. 3 Euro | von Kaş in Richtung Finike ca. 40 km, in Kale biegt man nach Myra ab (noch 1,5 km)*

ESSEN & TRINKEN

Kemer ist voller *lokantas* und Fastfood-Restaurants. Die Menüs sind ausgestellt und trotz Massenbetriebs nicht überteuert. Besseres Ambiente findet man nur etwas außerhalb.

APOLLONIK CAFÉ

Hier, gleich neben den Resten des Apollon-Tempels, versammelt man sich zum Sonnenuntergang, ein heidnisches Ritual. Es gibt neben Bier und Wein auch Kaffee oder Tee. *Nar Sokak 69 | Tel. 0242 753 10 70 | €€*

INSIDER TIPP ÇINAR

Das älteste und beste Gartenrestaurant etwas außerhalb von Kemer bietet ausgezeichnete Fleischgerichte und leckeren Fisch. Sehr gut die überbackene Forelle aus dem Ofen! *Ulupınar | auf dem Weg vom Kemer nach Kumluca, ca. 20 km | Tel. 0242 8 25 00 29 | €€*

YÖRÜK-PARK

Ein Essen in ausgefallener Umgebung bietet der Yörük-Park auf der Halbinsel am Yachthafen. In einem Freilichtmuseum, in dem das Leben der Nomaden, die früher zwischen Küste und den Gebirgsalmen pendelten, dargestellt wird, genießen Sie eine typische Mahlzeit. Ein Besuch lohnt sich auch, wenn Sie keinen Hunger haben. *Am Yachthafen | Tel. 0242 8 14 17 77 | www.yorukparki.com.tr | €€*

EINKAUFEN

Die große Allee zur Marina hinunter besteht nur aus Läden. Gute Ledersachen bieten *Element Deri (Liman Caddesi 17a)* und *Lederland (Sarıören Mahallesi | Turizm Caddesi)*.

STRÄNDE

Kemer hat den Strand direkt vor der Haustür. Richtung Antalya schließen sich die Strände von *Göynük* und *Beldibi* an, südlich die von *Çamyuva* und *Tekirova*. Von der Marina in Kemer legen morgens Ausflugsboote zu den Stränden ab.

AM ABEND

Man trifft sich ab 22 Uhr in der Basarstraße, am Hafen und im *Mondscheinpark (Ayışığı Parkı)*, besucht eine Bar oder geht in einer der Diskos wie dem *Inferno* tanzen; die Lokale schließen um 5 Uhr.

KAPTAN TERAS BAR ☆

Etwas ruhiger geht's hier auf der Terrasse zu, mit schönem Blick auf den Hafen. *Am Ende der Deniz Caddesi*

MOON BAR

Beliebter Treff für Kulturliebhaber. In der Saison treten jeden Abend Künstler der Staatsoper Ankara auf. *Ayışığı Parkı | Tel. 0242 8 14 57 49*

SIR WILLIAMS

Einer der guten englischen Pubs. *Ayışığı Parkı | Tel. 0242 8 14 48 41*

WART IHR AUCH BRAV?

Unser Nikolaus ist eine Heiligenfigur aus der orthodoxen byzantinischen Kirche. Zur Blütezeit von Byzanz, um 1000 n. Chr., wurde der Nikolaus im damaligen Konstantinopel hoch verehrt. Tatsächlich basiert die Legende von dem heiligen Mann, der den Kindern Süßigkeiten in die Strümpfe stopft, auf einer historischen Figur. Der Nikolaus lebte um 300–350 und war zeitweilig Bischof in Myra. Obwohl er in der byzantinischen Kirche auch als Schutzpatron der Seeleute galt, stammt sein Ruhm von der Legende der drei Töchter. Weil ein armer Mann kein Brautgeld für seine drei Töchter hatte, soll der Bischof drei Jahre hintereinander jeweils um die Weihnachtszeit einen Beutel Gold ins Haus geworfen haben. Manche erzählen sich, das Gold kam durch den Kamin, weshalb später in Häusern mit Kamin die Geschenke auch durch den Schornstein erwartet wurden. Heute kommt der Nikolaus am 6. Dezember, weil der Bischof von Myra an einem 6. Dezember starb.

ÜBERNACHTEN

In Kemer werden die Hotels meist als Teil einer Pauschalreise gebucht. Informationen über die großen Hotels in Kemer unter *www.hotelguide.com.tr*.

NATURLAND ECOPARK HOTELS ☺

Quartett in der Bucht von Çamyuva: Die Anlagen heißen *Aquarium Park (133 Zi.), Country Park (80 Zi.), Forest Park (170 Zi.)* und *Naturvillas (83 Zi.).* Das Konzept ist naturnah, frisches Obst und Gemüse, Kleintiere. *Çamyuva | Tel. 0242 8 24 62 14 | www.naturland.com.tr | €€€*

RIXOS SUNGATE PORT ROYAL ●

Gehört zwar zu den großen Ferienanlagen, wurde aber kürzlich erneuert. Stilvolles Ambiente, gemütliche, lockere Atmosphäre. In der Anlage auf 250 000 m² gibt es neben geräumigen Doppelzimmern INSIDER TIPP auch Apartments und Villen am Pool. Mit dem ausgedehnten Spabereich und einem 1 km langen Privatstrand kommt hier der Urlaub einem Kuraufenthalt gleich. *1094 Zi. | Çifteçeşmeler Mevkii | Beldibi | Tel. 0242 8 24 00 00 | www.rixos.com | €€*

AUSKUNFT

TURIZM DANIŞMA

Yat Limani 159 | Tel. 0242 8 14 11 12 | www.antalya-kemer.bel.tr, www.kemerurlaub.de

ZIELE IN DER UMGEBUNG

KUZDERE (127 E4) (⚏ J6)

Das 10 km nordwestlich von Kemer gelegene Dorf Kuzdere ist der Ausgangspunkt für Ausflüge ins Taurusgebirge. Von hier fährt man zum *Beydağları-Nationalpark*, hier beginnt eine Schotterpiste auf den *Tahtalı Dağ*, den früheren Olympos-Berg, oder eine schöne, 25 km lange Wander- oder Mountainbikestrecke zur INSIDER TIPP *Kuzdere Yaylası*, einer Hochalm, auf der bis heute Halbnomaden ihre Schafe weiden. Richtige Wanderschuhe sind ein Muss! *www.kemer-tr.info/kuzdere.htm | Sammeltaxis vom Busbahnhof Kemer*

OLYMPOS (127 E5) (⚏ J7)

Mit dem Namen Olympos verbindet sich mehr als nur eine von vielen antiken Stätten an der Mittelmeerküste. Olympos steht sowohl für den antiken Ort, wie den Berg, den die Griechen Kleinasiens Olympos nannten, heute *Tahtalı Dağı* (siehe dort), als auch für ein phantastisches Naturschutz- und Feriengebiet. Im Einzugsbereich von Olympos liegen einige Dörfer mit kleinen Pensionen. Auf der Landstraße von Kemer nach Finike ist Çıralı/Olympos links ausgeschildert. Nach einigen Kilometern kurvenreicher Strecke erreicht man *Çıralı* am Strand von Olympos. Der Strand ist eine weitgehend unberührte Naturschönheit, besteht aber nur aus Kieseln. In Çıralı kann man sich in der luxuriösen *Olympos-Lodge (12 Zi. | Tel. 0242 8 25 71 71 | www.olymposlodge.info | €€€)* einmieten oder in der *Şaban Pension (Tel. 0242 8 92 12 65 | www.sabanpansion.com | €)*, wo man in Baumhäusern nächtigt. Eine schöne Alternative ist der Campingplatz. Von Çıralı aus nach Norden liegen die *Ewigen Flammen* (türkisch *Yanartaş*), der Ort, wo das Fabelwesen Chimära wohnt. Man kann sich in Çıralı einer Führung anschließen, aber auch auf eigene Faust den markierten Weg bergan steigen. Am eindrucksvollsten ist eine INSIDER TIPP Nachtwanderung, wenn die von austretendem Erdgas gespeisten Flammen von weitem sichtbar am Berghang flackern. *Eintritt 5 Euro | 7 km Fußweg von der Hauptstr. (ausgeschildert) oder Taxi; Yanartaş liegt 180 m hoch am nördl. Ende des Strandes Çıralı, 3 km landeinwärts; der Weg ist zur Hälfte befahrbar, den Rest muss man laufen*

PHASELIS ⭐ (127 E5) *(🗺 J7)*

Die mitten im Wald gelegene antike Stadt der drei Häfen wurde bereits von den Phöniziern als Handelsstützpunkt genutzt. Als Stadt verbrieft ist Phaselis allerdings erst um 700 v. Chr., als rhodesische Siedler sich hier niederließen. Ein Besuch von Phaselis, das nur 12 km südlich von Kemer liegt, lohnt sich vor allem wegen der schönen Kombination von interessanten antiken Zeugnissen und einem Bad unmittelbar vor dieser Kulisse. Aus den ehemaligen Häfen sind nun Badebuchten geworden, in denen aber noch antike Hafenanlagen unter Wasser zu sehen sind. *Eintritt 6 Euro | Sammelbusse vom Busbahnhof Kemer | www.lykien.com*

Im Südwesten des Strandes befindet sich das 😊 INSIDER TIPP *Sundance Nature Village (Tel. 0242 8 21 41 65 | www.sundancecamp.com)* mit Bungalows, Baumhütten und einem herrlichen, menschenleeren Strandabschnitt. Hier gibt es zwar Strom und Klimaanlagen, aber kein Telefon und keinen Fernseher! Die Eier kommen aus dem Dorf, das Gemüse wächst pestizidfrei im Garten, die Marmelade ist hausgemacht.

TAHTALI DAĞI 🌱 (127 E5) *(🗺 J7)*

Tahtalı („Der Hölzerne") heißt der mit 2366 m höchste Gipfel der Ausläufer des Taurusgebirges, das der Küste hier am nächsten kommt. 2007 eröffnete ein Lift, der die 4,5 km lange Strecke bis zur Gipfelregion in 15 Min. bewältigt: *Olympos Teleferik (Tel. 0242 2 42 22 52 | www.olymposteleferik.com | letzte Abfahrt von oben 19 (im Winter 18) Uhr)*. Die Kabinen sind groß und fassen 80 Personen. Oben warten Liegen in der Sonne und ein Café-Restaurant. Auf einem Pfad geht es vom Gipfel hinunter zum Dorf *Beycik* (auf 850 m) im Südwesten. Auf dieser Wanderroute trifft man auf seltene Blumen wie z. B. die Anatolische Orchidee *(Orchis anatolica)*. *Auf der Landstr. von nach Kaş hinter Çamyuva rechts abbiegen; der Lift ist ausgeschildert; nach ca. 7 km Asphalt im Wald kommt die Station | Minibusse von Kemer (15 km) April–Okt. 8–19 Uhr alle 30 Min.*

Vom antiken Theater von Phaselis bietet sich ein traumhafter Blick

DIE TÜRKISCHE RIVIERA

Wenn von der Türkischen Riviera die Rede ist, geht es um die endlosen Sandstrände zwischen Antalya und Alanya. An diesem ca. 150 km langen Küstenabschnitt liegen die meisten jener Ferienanlagen, in denen die sonnenhungrigen Besucher aus dem Norden „all-inclusive" Sonne, Strand und Meer genießen.

Dabei hat das antike Pamphylien mehr zu bieten: eines der größten römischen Theater der Welt in Aspendos; Baden vor dem Apollo-Tempel in Side; eine Piratenburg in Alanya, Flüsse und Canyons im Hinterland und nicht zuletzt das Taurusgebirge, das sich in Sichtweite der Küste entlangzieht und für das milde Klima sorgt, weil es die kalten Nordwinde abhält. Deshalb wurden östlich von Antalya schon immer Orangen, Zitronen und

Gemüse angebaut. Heute werden dank großer Gewächshäuser das ganze Jahr über Tomaten, Auberginen und Salat geerntet. Im Spätsommer, wenn die Kapseln der Baumwollfrüchte platzen und die Wolle herausquillt, glaubt man sich trotz 30 Grad in eine Schneelandschaft versetzt.

ALANYA

KARTE IM HINTEREN UMSCHLAG
(131 D4) (N6–7) **Alanya (104 000 Ew.), der östliche Abschluss der Türkischen Riviera, ist die „deutsche Stadt" an der Mittelmeerküste. Das reizvoll gelegene, gepflegte Städtchen mit schönen Stränden und der beeindru-**

Mediterrane Gastfreundschaft, Meer, Sand und Sonnenschein im Überfluss – und das größte römische Theater der Welt

CITY **WOHIN ZUERST?**

An der Moschee: Alanya hat eine Ober- und Unterstadt, den Burgberg und die moderne Stadt als Orientierungspunkte zu bieten. An der Kuyularönü Camii am Fuß des Burgbergs beginnt die Straße in die Oberstadt, man erreicht von hier aus in wenigen Schritten aber auch die Stadtstrände, den Basar und den Hafen.

ckenden Burg auf einem Berg mitten im Ort ist auf dem besten Weg, ein kleines Mallorca zu werden.

Nirgendwo sonst haben sich so viele Deutsche niedergelassen wie hier: Mittlerweile sind es über 20 000, die sich auf die Region verteilen. Das hat vor allem mit dem Klima zu tun. Alanya hat praktisch keinen Winter. Das Thermometer fällt so gut wie nie unter 10 Grad, auch das Meer bleibt das ganze Jahr über warm, und wenn in Deutschland Schnee fällt, werden hier Orangen und

Damlataş Mağarası: Tropfsteinhöhle bei Alanya

Bananen gepflückt. Die Deutschen pflegen nicht nur untereinander, sondern auch zur Kommunalverwaltung gute Beziehungen. Eine Krebsklinik und weitere deutschsprachige Gesundheitsdienste sind u. a. Folgen der deutschen Migration an die türkische Riviera – Deutsch ist in Alanya mittlerweile fast die zweite offizielle Sprache geworden.

Neben dem kleinen Altstadtviertel ist eine Fußgängerzone entstanden; die palmengesäumte Promenade führt an Teegärten vorbei, und selbst der Autoverkehr ist hier ein bisschen weniger chaotisch als sonst in der Türkei. Am Ende der Promenade erreicht man den alten Hafen, an dem der *Kizil Kule*, der Rote Turm, daran erinnert, dass Alanya mal ein wichtiger Militärstützpunkt war.

Alanya liegt an der Mündung von zwei wichtigen Flüssen: Dim und Kargı. Das Zedernholz der Taurus-Gebirge wurde in der Antike über diese Wasserwege an die Küste transportiert, bevor es zu den Werften der Ägypter nach Alexandria verschifft wurde.

SEHENSWERTES

ALANYA KALESI ⭐ ● 🔅

Die Burg, 300 m über dem Meer, wurde wegen ihrer hervorragenden Lage seit der Antike immer weiter ausgebaut. Die meisten Mauern und Wälle, die man heute sieht, sind die Überreste der Anlage, die im 13. Jh. von den Seldschuken mit 150 Türmen gebaut wurde. Innerhalb des *İç Kale* gibt es aber auch noch Teile einer byzantinischen Basilika und die Reste einer großen Zisterne zu sehen. Am eindrucksvollsten sind die Wälle zum Meer hin, wo man von einer großen Aussichtsplattform, die einst als Hinrichtungsstätte diente, einen grandiosen Blick über das Meer hat. *Tgl. 8–17 Uhr | Eintritt 4 Euro*

ARKEOLOJI MÜZESI

Das kleine Stadtmuseum hat sowohl archäologische Stücke als auch seldschukische und osmanische Gebrauchskunst zu bieten. Außerdem sind schöne alte Kelims, Münzen und eine kalligrafische Sammlung zu sehen. Besondere Beachtung verdient die bronzene Statue von Herakles aus dem 2. Jh. n. Chr. *Am Atatürk-Park, Ecke Güzelyalı Caddesi | tgl. 8–17 Uhr | Eintritt 3 Euro*

HÖHLEN

Am Fuß des Burgbergs liegen mehrere Höhlen, von denen nur die große Tropfsteinhöhle Damlataş Mağarası am Ende des Atatürk-Parks vom Land aus zu erreichen ist. Die Piratenhöhle, die Höhle der Verliebten und die durch erstaunliche Lichtreflexe beeindruckende ⭐ *Phosphorhöhle (Höhlentour ca. 10 Euro)* erreicht man nur mit einem Boot vom Hafen aus.

KIZIL KULE

Der Rote Turm ist das Wahrzeichen der Stadt und wurde 1224 vom seldschukischen Sultan Alaeddin Keykubat erbaut. Der 35 m hohe, achteckige Ziegelturm bildete einen Eckpunkt der Hafenbefestigung. Im Erdgeschoss ist heute ein kleines Volkskundemuseum untergebracht. *Tgl. 8–17 Uhr | Eintritt 1,50 Euro*

TERSANE

Wer mit dem Boot zur Besichtigung der Höhlen aufbricht, sollte auch die alte seldschukische Schiffswerft anschauen. In fünf großen, tief in den Berg getriebenen Kammern ließen die Sultane ihre Kriegsflotte bauen. Das Holz lieferten die Wälder im Taurus. Die Docks boten auch Schutz für die Flotte, sodass Alanya zum sichersten Hafen im östlichen Mittelmeer wurde. *Rundfahrten ab Hafen ca. 3 Std. | 10–15 Euro*

ESSEN & TRINKEN

HANCI PATISSERIE

Guter Kaffee und Kuchen für wenig Geld – die Konditoreikette ist mittlerweile eine Institution in Alanya. Auch zum Frühstück empfehlenswert. Zentrale Filiale: *Hasan Akçalıoğlu Cad. 9 | Tel. 0242 5 13 70 70 | €*

ÖZ GRAND RESTAURANT

Das beste Kebap-Haus in Alanya, serviert auch Fisch und französische Küche. *Çimen Oteli Sokak | Tel. 0242 5 11 93 18 | €€*

RED TOWER BREWERY

Restaurant mit eigener Bierbrauerei und solider türkischer Küche. Neben Kebap auch gute Salate. Das Lokal ist gleich am Hafen und bietet Platz für ca. 100 Gäste. *İskele Caddesi 80 | Tel. 0242 5 13 66 64 | www.redtowerbrewery.com | €€*

MARCO POLO HIGHLIGHTS

⭐ **Alanya Kalesi**
Die ehemalige Seeräuberfeste auf dem Burgfelsen von Alanya beherrscht die Küste → S. 72

⭐ **Phosphorhöhle**
Die Höhlen im Burgberg von Alanya wurden als Liebesnester und Schiffswerften genutzt → S. 73

⭐ **Apollo-Tempel**
Der Tempel an der Spitze der Landzunge von Side ist ein Muss bei Sonnenuntergang → S. 77

⭐ **Aspendos**
Im größten erhaltenen römischen Theater des östlichen Mittelmeerraums gibt es Konzerte und Opern → S. 78

WILLIS KNEIPE

Von Currywurst bis Schweinebraten gibt es hier alles, was das deutsche Urlauberherz nach langer Kebabdiät begehrt. Willi Fillbach, der 1989 von Gran Canaria hierher wechselte, macht's möglich! *Güzelyalı Caddesi 23 | Tel. 0242 5 12 25 79 | www.williskneipe.com | €€*

STRÄNDE

Alanyas Strände erstrecken sich 3 km nach Westen und 8 km nach Osten. Westlich des Burgbergs liegt der *Kleopatrastrand*, der das sauberste Wasser

hat. Wer ein paar Kilometer Richtung Antalya fährt, erreicht den berühmten *İncekum*-Strand, wo zwischen Konaklı und Avşalar ein Campingplatz und der *İncekum-Rekreationspark* ans Meer grenzen. Stündlich Kleinbusse vom Zentrum.

FREIZEIT & SPORT

Am Kleopatrastrand findet alljährlich Ende Mai ein internationales Beach-Volleyball-Turnier statt. Ende Juni geht es mit Handball und in der zweiten Julihälfte mit einem Strandfußballturnier weiter. Die Krönung bildet im Oktober der Triathlon mit Rafting (3 km), Mountainbiking (13 km) und Laufen (5 km). *www. alanyacup.com*

AM ABEND

Die Kneipen und Diskos reihen sich wie in allen Küstenorten am Hafen und an der Promenade *(İskele Caddesi)* aneinander. *Bellman*, *James Dean* und *Zapfhahn* sind die beliebtesten. In den Seitenstraßen zum Ort hinein finden Sie Off-Kneipen wie das *Doors* oder, für ältere Jahrgänge, das *Murphy's*. Im *Queen's Garden (Demirciler Sokak)* kann man auch essen. Daneben gibt's im Zentrum türkische Livemusik-Bars wie *Ada (Atatürk Caddesi)* oder *Boomerang (İzzet Azakoğlu Caddesi)*.

ÜBERNACHTEN

ANFORA RESIDENCE

Aparthotel mit Zwei- oder Dreizimmerwohnungen für max. 7 Personen, die entweder auf den großen Swimmingpool im Innenhof oder aufs Meer schauen. Der Kleopatrastrand ist 50 m, das Stadtzentrum 2 km entfernt. Auf Wunsch mit Frühstück oder Halbpension. *110 Ap. | Kemali Soydan Caddesi | Tel. 0242 5 14 10 66 | www.anforahotel.com | €–€€*

LOW BUDGET

▶ Die berühmte Küche Alanyas ist im Lokal der Köchin *Esma Abla (So geschl. | Saray Mahallesi | Galatasaray Caddesi 56/A-B | Uysal Apt. | Tel. 0242 5 19 08 40)* preiswert zu testen.

▶ In Alanya kann man gut überwintern – z. B. im 3-Sterne-Hotel *Ikiz (32 Zi. | Kızlarpınarı Mahallesi | Belen Sokak 3 | Tel. 0242 5 13 31 55 | www. ikizotel.com)* am Kleopatra-Strand: ab 8 Euro pro Person, mit Halbpension 12,50 Euro.

▶ Ein Ausflug zu dem großen Wasserfall von Manavgat ist preiswert und macht Spaß: Der Eintrittspreis liegt bei ca. 1 Euro. Wer möchte, kann sich für 2 Euro auf ein Kamel setzen und sich fotografieren lassen.

▶ In der *Lighthouse*-Diskothek am Hafen von Side gibt es täglich von 21 bis 23 Uhr Happy Hour mit erheblich ermäßigten Preisen für die Drinks.

Die Beleuchtung stimmt: James-Dean-Bar in Alanya

DINLER

Großer Kasten an der Kargıcak-Bucht im Süden mit eigenem Strand. Ganzjährig geöffnet, mit In- und Outdoorpools. *172 Zi. | Kargıcak Beldesi | Tel. 0242 5 26 20 94 | www.dinler.com | €€–€€€*

SEAPORT HOTEL

Maritimes Boutiquehotel überm Hafen; nach Zimmern mit Seeblick fragen! *65 Zi. | İskele Caddesi 82 | Tel. 0242 5 13 64 87 | www.hotelseaport.com | €€*

YOGA ASHRAM ● ♻

Das meditative Zentrum schaut auf das wunderbare Tal des Flusses Dim hinab. Yogi Adnan Çabuk und Lourdes Doplito bieten Entspannungsübungen bei Ökokost. Elektronische Geräte sind verboten. Zur Reinigung der Seele wird im Fluss Yoga gemacht und geschwommen. *20 Betten | 30 km von Alanya | nur Juli–Sept. | Buchung unter Tel. 0533 7 77 86 40 oder 0212 2 30 15 47 | www. siddashramyogacenter.com | €€*

AUSKUNFT

TURIZM DANIŞMA

Damlataş Caddesi 1 | Tel. 0242 5 13 12 40 | www.alanya-tuerkei.de | www.alanya. bel.tr

ZIELE IN DER UMGEBUNG

ALARA HAN (130 C4) (*ɯ M6*)

Die am besten erhaltene Karawanserei auf der Seidenstraße aus seldschukischer Zeit wurde auf Befehl Sultan Alaeddin Keykubats 1231 erbaut und liegt am Alara-Fluss, an dem entlang früher der Weg von Alanya in die Hauptstadt Konya führte. Das Gebäude besteht aus massiven Außenmauern und einem großen Innenhof mit den Ställen und den über eine Empore erreichbaren Zimmern für die Führer und Bewacher der Karawanen. Oberhalb der Karawanserei liegt wie ein Schwalbennest an den Fels geklebt die INSIDER TIPP *Alara-Festung*. Über einen schmalen Pfad steigt man zur Burg empor, wo man mit einem ☀ herrlichen Ausblick belohnt wird. Der Alara-Fluss bietet sich für ein erfrischendes Bad an, anschließend kann man in einem der Lokale fangfrische Forellen *(Alabalık)* essen. *Richtung Antalya, nach 35 km Abzweig nach rechts | 9 km bis zum Alara Han | Eintritt frei*

INSIDER TIPP ▶ **DIM ÇAYI**
(131 D4) (*[] N–O6*)

Die Fahrt zu diesem kleinen Fluss ca. 10 km östlich von Alanya ist eine schöne Abwechslung zum täglichen Sonnenbad am Strand. Man kann ein wenig unter schattigen Bäumen wandern und in einem lokalen Restaurant speisen. Der Fluss ist aufgestaut und insgesamt in ein

Chillig: Restaurant im Dim Çayı

Erholungsgebiet verwandelt worden. Hier ist es ca. 10 Grad kühler als in Alanya, man kann Kanus mieten und im eiskalten Wasser schwimmen. *Von Alanya mit dem Dolmuş zu erreichen*

SIDE

🔲 **KARTE IM HINTEREN UMSCHLAG**
(130 B3–4) (*[] L–M6*) **Nur wenige Schritte vom römischen Theater entfernt liegt das heutige Side (6500 Ew.) praktisch mitten in der antiken Stadt.**
Wie vor 3000 Jahren passiert man eine Stadtmauer, die die Halbinsel auf der Landseite schützte, und fährt dann an der Säulenstraße der Agora vorbei zu einem Parkplatz neben dem Theater. Die Spitze der Halbinsel, an der zur See hin ein restaurierter Apollo-Tempel von der einstigen Größe der Stadt kündet, ist für den Autoverkehr gesperrt. Hier geht es durch enge Gassen, vorbei an Hunderten von Shops, Restaurants, Bars und Pensionen zum antiken Hafen von Side.
Side, im 7. Jh. v. Chr. von griechischen Siedlern kolonisiert, war damals eine wichtige Hafenstadt, die unter Griechen, Persern, Römern und kilikischen Piraten umkämpft war. Die Stadt hatte in ihrer wechselvollen Geschichte viele Herren, was die Einwohner aber nie davon abhielt, ihren Geschäften nachzugehen.
Mittlerweile gibt es eine Invasion anderer Art: Jahr für Jahr kommen mehr Besucher, und die Shoppingmeile erinnert im Sommer an einen Rummelplatz, in dem die griechischen Tempel, römischen Bäder und byzantinischen Basiliken fast völlig untergehen. Für viele Pauschaltouristen, die in den großen Ferienanlagen rund um Side untergebracht sind, ist die Stadt zur Amüsiermeile für den Abend geworden. Außerdem sind die All-Inclusive-Anlagen rund um Side zu einem be-

Wahrzeichen am Strand: Apollo-Tempel in Side

liebten Überwinterungsplatz deutscher Rentner geworden.

SEHENSWERTES

Die antike Stadt Side gehört zu den attraktivsten Ausgrabungsstätten der Türkei. Wenn man neben dem gut erhaltenen *römischen Theater*, das einst 15 000 Menschen Platz bot, sein Auto geparkt hat, kann man auf den „Traktorzug" umsteigen, der durch das Grabungsgelände fährt, oder zu Fuß die Säulenstraße entlangschlendern *(Eintritt 5 Euro)*. Der frühere Markt, die Agora, ist gut erhalten, aus römischer Zeit steht noch ein Denkmal des Vespasian, und in dem ehemaligen byzantinischen Bad ist heute das *Archäologische Museum (Di–So 8–12 und 13–17 Uhr | Eintritt 4 Euro)* untergebracht. Das antike Highlight von Side ist aber der teilweise rekonstruierte ⭐ ● *Apollo-Tempel* (2. Jh. n. Chr.) direkt am Strand, der vor der untergehenden Sonne ein tolles Panorama bietet. Während der Saison werden im **INSIDER TIPP** Theater und am Tempel Konzerte veranstaltet.

ESSEN & TRINKEN

APOLLONIK CAFÉ
Das Café für den Aperitif am Abend – der beste Platz, um den Sonnenuntergang mit Blick auf den Apollo-Tempel zu genießen. *Liman Yolu 69 | Tel. 0242 7 53 10 70 | www.apollonik.com | €€*

DEUTSCHES STEAK-HAUS
Spätzle und Schnitzel auf der Terrasse mit Blick auf Side und den Weststrand. *Yasemin Sokak | Tel. 0242 7 53 36 14 | €€*

PAŞAKÖY
Restaurant mit ruhigem Garten; guter Grill, leichte Küche – und billig. *Liman Cad. 98 | Tel. 0242 7 53 36 22 | €*

SOUNDWAVES

Wer in Side gut essen will, landet fast immer in diesem Lokal mit türkischer und internationaler Küche. Lecker das Gemüse aus dem Tontopf. *Barbaros Caddesi | an der Ostpromenade | Tel. 0242 7 53 10 59 | €€*

STRÄNDE

Die Halbinsel von Side ist in beiden Richtungen von großen Sandstränden umgeben. Wer den östlichen Strand wählt, badet vor den Resten der antiken Stätte. 3 km weiter Richtung Osten liegt der Strand von *Sorgun (Minibusse alle 30 Min. vom Busbahnhof [Otogar]),* eine endlose Dünenlandschaft mit einem schattigen Pinienwald im Hintergrund.

AM ABEND

Rund um die Basarstraße verwandelt sich das Zentrum von Side jeden Abend in einen Rummelplatz: Kneipe reiht sich an Kneipe. Gut tanzen kann man in der Open-air-Disko *Lighthouse* am Hafen. Die Diskothek *Blackout (Kumköy)* ist mit ihrer Lasershow und ihrem nächtlichen Pool sehr populär. Für ruhigere Gemüter empfehlen sich die vielen Cafés und Kneipen im Freien direkt auf der Landnase am Apollo-Tempel.

ÜBERNACHTEN

INSIDER TIPP BEACH HOUSE HOTEL

Das türkisch-australische Paar Ali und Penny Yeşilipek und ihr Sohn Alan betreiben am Ortsrand dieses Hotel, das anstelle einer alten byzantinischen Villa erbaut wurde. Es gibt einen kleinen, aber feinen Strandabschnitt mit Liegen und Schirmen. Die Zimmer zum Meer hin haben schöne Balkone. Im Haus ist das Restaurant *Soundwaves. 20 Zi. | Barba-ros Caddesi | Tel. 0242 7 53 16 07 | www.beachhouse-hotel.com | €–€€*

HOTEL VILLA ÖNEMLI

Freundliches, neues Hotel im Stil von Holzbungalows, direkt am Meer. Es hat einen großen Garten und wird von dem Ehepaar Önemli mit Sorgfalt geführt. *14 Zi., 1 Ap. | Küçük Plaj Üstü | Lale Sokak | Tel. 0242 7 53 28 60 | www.hotelvillaonemli. com | €€*

YÜKSER PANSIYON

Altes Haus im Zentrum von Side mit familiärer Atmosphäre und schönem Garten, 50 m zum Strand. *8 Zi. | Lale Sok. 10 | Tel. 0242 7 53 20 10 | www.yukser-pansiyon. com | €*

AUSKUNFT

TURIZM DANIŞMA

Side Yolu Üzeri | Manavgat | Tel. 0242 7 53 12 65 | www.side-info.de

ZIELE IN DER UMGEBUNG

ASPENDOS ★ ● (130 A3) (ஐ L5)

Das römische Theater von Aspendos ist das größte und besterhaltene im östlichen Mittelmeer. Rund 20 000 Zuschauer finden noch heute hier Platz, wenn im Juni die Konzertsaison startet. Aspendos war zu römischer Zeit eine große Handelsstadt, von der außer dem Theater noch ein großer Aquädukt erhalten ist. Dass das riesige Theater auch nach 1800 Jahren noch so gut erhalten ist, verdankt sich dem Umstand, dass die Seldschuken den Bau als Karawanserei nutzten und pflegten. Ein Konzert in diesem Theater zu besuchen ist ein einmaliges Erlebnis *(www.antalya.de/aspendosprogramm. htm). Eintritt 7,50 Euro | auf der Hauptstr. Richtung Antalya bis Belkis, der Abzweig nach rechts ist ausgeschildert, 20 km*

BELEK (130 A3) *(☐ L6)*

Auf halbem Weg zwischen Side und Antalya ist hier mitten in einem Kiefernwald ein nobler Ferienort entstanden, in dem sich ein Hotel an das andere reiht. Wer sich einmal echten Luxus gönnen möchte, steigt im *Kempinski The Dome (182 Zi. | Ückumtepesi Mevkii 20 | Tel. 0242 710 13 00 | www.kempinski.com | €€€)* ab. Beleks Golfresorts zählen zu den besten ihrer Art weltweit. In der Umgebung wurden Dutzende von Golfplätzen angelegt. Der Strandort Belek gehört zum Kleinstädtchen Kadriye, das sich als Touristenzentrum mausert. *www. belektourismcenter.org | von der Hauptstraße nach Antalya hinter Serik nach links Richtung Kadriye/Belek, 35 km*

MANAVGAT (130 B3–4) *(☐ M6)*

Manavgat (100 000 Ew.) ist die moderne Kreisstadt, zu der das 10 km entfernte Side gehört. Berühmt ist sie für ihre Wasserfälle. Der Ort lebt weniger vom Tourismus als von der umliegenden Landwirtschaft. Montags werden hier auf einem großen Markt die Produkte angeboten. Von Side kommend, zweigt am Ortseingang der Weg zum großen Wasserfall am

Auf breiter Front schäumen die Fälle des Manavgat

Manavgat-Fluss ab. Nach 3 km erreicht man die Wasserfälle, die schon von weitem durch Restaurants und Parkplätze angekündigt werden. Die Fälle sind zwar nicht besonders hoch, aber der Fluss ist hier so breit, dass sich dennoch ein imposantes Schauspiel bietet. In den Restaurants kann man den optischen Genuss durch den Verzehr einer Forelle noch steigern. Wer noch Zeit und ein Auto hat, kann am Wasserfall vorbei die Straße am Fluss entlang weiter hinauffahren und erreicht nach ca. 15 km den ersten von zwei Stauseen, den *Oymapınar Barajı. Zum Wasserfall fahren Minibusse vom Busbahnhof (Otogar) oder Ausflugsboote vom Hafen (18 Euro)*

DER SÜDOSTEN

Östlich von Alanya endet der Badeurlaub, es beginnt das Reich der Entdeckungen. Zwar finden sich auch zwischen Anamur und Antakya noch Strände, doch die Küste ist touristisch wenig erschlossen und für Pauschalreisende immer noch terra incognita.

Dabei hat das raue Kilikien, wie die Küste zwischen Alanya und Mersin in der Antike hieß, eine Menge zu bieten. Byzantiner und Seldschuken, Armenier und Kreuzritter, Araber und Osmanen haben hier ihre Spuren hinterlassen. Der Küstenstreifen östlich von Adana, der wie ein Daumen nach Syrien hineinreicht, war Schauplatz von gleich drei welthistorischen Ereignissen: 1285 v. Chr. fand hier die große Schlacht zwischen Hethitern und dem pharaonischen Ägypten statt,

333 v. Chr. errang Alexander der Große hier seinen entscheidenden Sieg gegen die Perser (Schlacht bei Issos), und gut 300 Jahre später traf sich in einer Höhle bei Antakya, dem damaligen Antiocheia, eine Handvoll Menschen, um einer neuen Religion zu huldigen. Sie nannten sich Christen, und ihr geistlicher Führer war der Apostel Petrus.

Landschaftlich gliedert sich die Küste in drei Abschnitte. Von Alanya bis Silifke zieht sich die schöne Küstenstraße durch eine relativ dünn besiedelte Gegend, in der auf terrassierten Hängen Bananen angebaut werden. Ab und an finden sich auch schöne Strände. Bald hinter Silifke beginnt der industrielle Großraum der Südtürkei. Mersin und İskenderun sind Industrie- und Marinehäfen, die Millio-

Auf den Spuren der ersten Christen: Die
östliche Mittelmeerküste der Türkei hat uralte
Kirchen und auch viel Sonne zu bieten

nenstadt Adana ist das Baumwoll- und
Textilzentrum des Landes. Erst südlich
von İskenderun, der Stadt, die Alexander der Große nach seinem Sieg gründete und Alexandreia nannte, beginnt noch
einmal ein verträumter, landschaftlich
und kulturell höchst interessanter Küstenabschnitt, mit der Provinzhauptstadt
Antakya im Hinterland. Die Provinz Antakya (oder Hatay) hat auch heute noch
einen starken arabischen Einschlag. Antakya ist die am orientalischsten anmu-
tende Stadt an der Südküste.

ADANA

(134 C3) (𝄐 X5) **Adana (2 Mio. Ew.) ist
die viertgrößte Stadt der Türkei und neben Antalya die am schnellsten wachsende Metropole des Landes. Adana ist
Umschlagplatz für die Agrarproduktion
der Çukurova-Ebene und Zentrum der
Textilindustrie, die die Baumwolle der
umliegenden Tiefebene verarbeitet.**
Mit Adana lernen Sie eine urwüchsige
südostanatolische Stadt kennen. Die Be-

Mächtige Kuppel: Sabanci-Moschee

se gibt es aus der Zeit der Hethiter 1600 v. Chr. – ist nicht mehr viel zu sehen. Das älteste teilweise noch erhaltene Bauwerk ist eine Brücke über den Seyhan, die auf Veranlassung des römischen Kaisers Hadrian (117 n. Chr.) gebaut. Die römische Steinbrücke kontrastiert optisch mit der jüngsten Sehenswürdigkeit der Stadt, der riesigen Sabancı-Moschee im Zentrum. Mit dieser im osmanischen Stil erbauten Moschee hat sich die bekannteste Familie der Stadt ein Denkmal errichtet. Die Sabancı-Dynastie ist mit Baumwolle aus der Çukurova reich geworden und herrscht heute über die zweitgrößte Industrieholding der Türkei.

International bekannt ist die Stadt durch den nahen US-Militärflughafen Incirlik, einen der größten Luftwaffenstützpunkte außerhalb der USA. Außerdem liegt südlich von Adana das Ölterminal Yumurtalık, wo die Ölpiplines aus dem Irak und der Baku-Ceyhan-Pipline münden und das Öl auf Tanker verladen wird. Das Ölterminal liegt am Mündungsdelta des Ceyhan, der mit dem weiter westlich ins Meer mündenden Seyhan die Çukurova-Schwemmlandebene bildet. Dieses Schwemmland ist die Ursprungsgegend der türkischen Baumwolle und mittlerweile eines der ertragreichsten Anbaugebiete für Baumwolle und Getreide weltweit.

völkerung besteht aus Türken, Arabern und Kurden. Die meisten Kurden sind erst in den letzten 30 Jahren nach Adana eingewandert, angezogen von der aufblühenden Wirtschaftsmetropole und verdrängt durch die Kämpfe zwischen der Armee und den kurdischen Separatisten der PKK (Kurdische Arbeiterpartei).

Die Stadt hat ein subtropisches Klima, im Hochsommer geht die Temperatur bis auf 45 Grad hoch, was sich auch an der üppigen Vegetation in den Parks der Stadt zeigt. Von der langen Geschichte der Stadt – erste archäologische Hinwei-

CITY WOHIN ZUERST?

Kemeraltı-Moschee: In der Großstadt Adana trifft man sich an der Kemeraltı Camii am zentralen Küçük-Saat-Meydanı (Platz). Entlang der Straße zur Taş Köprü (Brücke) liegen die Altstadt und der Basar. Auch das Archäologische Museum und der Busbahnhof sind von hier aus leicht zu erreichen.

SEHENSWERTES

ADANA ARKEOLOJI MÜZESI ●

Das 1924 gegründete Archäologische Museum gehört zu den allerersten Museen der Türkischen Republik. Es konzentriert sich auf Funde aus hethitischer und römischer Zeit, die in sogenannten *Höyüks*, das heißt auf archäologischen Hügeln in der Ebene, ausgegraben wurden. Die Statuen, Steintafeln und Mosaiken sind zwar auf etwas verstaubte Art ausgestellt, aber durchaus sehenswert. *Fuzuli Cad. 10 | Di–So 8.30–12.30, 13–17 Uhr | Eintritt 2,50 Euro*

SABANCI MERKEZ CAMII

Sechs 99 m hohe Minarette, eine mächtige Kuppel mit 32 m Durchmesser und Platz für 12 000 Gläubige – das sind die beeindruckenden Zahlen der erst 1998 im traditionellen Stil erbauten prächtigen Sabancı-Moschee. *Am Westufer des Seyhan*

ESSEN & TRINKEN

YÜZEVLER KEBAP SALONU

In Adana isst man das scharf gewürzte **INSIDER TIPP** ► Adana-Kebap, das eine türkische Spezialität ist. Und das Adana-Kebap essen Sie am leckersten hier. Zuerst kommen Hirtensalat, Petersilie, geriebene Möhren, Salatblätter, Gewürze, Zwiebeln und warmes Fladenbrot auf den Tisch. Sie können auch Tzaziki mit Pfefferminz dazu bestellen. So wird aus dem Kebap-Essen ein echtes Ritual. *Ziyapaşa Bulvarı 25a | Tel. 0322 4 54 75 13 | www. yuzevler.com.tr | €€*

STRÄNDE

Südlich von Adana liegt der Badeort *Karataş,* zu dem die Einwohner Adanas im Hochsommer vor der Hitze flüch-

ten. Schöner ist der östliche Küstenort *Yumurtalık,* der sich wunderbar als Badeort eignet – die Ölterminals sind etliche Kilometer entfernt. Yumurtalık hat den Charme eines alten Fischerortes und ist von Ruinen aus armenischer Zeit umringt.

ÜBERNACHTEN

ADANA HILTON SA

Am Ufer des Flusses Seyhan mit Blick auf die Stadt und die hübsche Brücke Tas Köprü. In- und Outdoor-Pools, guter Spa-Bereich. Das „SA" im Namen steht übrigens für die Sabanci-Holding, mit der Adana sich weitgehend identifiziert. *308 Zi. | Sinanpaşa Mah. | Hacı Sabancı Bulvarı | Tel. 0322 3 55 50 00 | www. hilton.com.tr | €€*

MARCO POLO HIGHLIGHTS

★ **Mamure Kalesi**
Die mittelalterliche Burg von Anamur zählt zu den eindrucksvollsten Bauwerken der Türkei
→ S. 85

★ **Antakya Müzesi**
Das Museum von Antakya zeigt eine der größten Sammlungen römischer Mosaiken weltweit
→ S. 87

★ **Apostelkirche St. Peter**
In der Höhlenkirche in Antakya gründete der Apostel Petrus die erste christliche Gemeinde
→ S. 88

★ **Kız Kalesi**
Die „Mädchenburg" im Meer östlich von Silifke ist heute nur noch mit dem Boot zu erreichen
→ S. 91

ANAMUR

AUSKUNFT

TOURISMUSDIREKTORIAT
*Yeni Valilik Binası (im Amt des Gouver-
neurs) | Block C, 3. und 4. Stock | Tel. 0322
4 58 84 28 | adana@kulturturizm.gov.tr*

ZIEL IN DER UMGEBUNG

ANAVARZA ✺ (135 D2) (🕮 Y4)
Die ehemals armenische Festungsanla-
ge liegt ca. 60 km nordöstlich von Adana. Auf einem 200 m hohen Hügel ragen
die Ruinen weit über die fruchtbare Ebe-
ne hinaus und erlauben einen spektakulären Rund- und Weitblick. Auf dem Gelände rund um den Burgberg findet man
noch die Relikte der im 1. Jh. n. Chr. ge-
gründeten Stadt. ☺ Unter dem Marken-
zeichen „Anavarza" wird hier ein wertvoller, leckerer Honig in Bio-Qualität
hergestellt und verkauft.

(131 F6) (🕮 P8) **Die Provinzstadt Anamur (zusammen mit den umliegenden
Dörfern ca. 50 000 Ew.) ist vom Tourismus noch weitgehend unberührt. Sie
liegt etwas landeinwärts, 6 km von der
Küste entfernt.**
Anamur ist bekannt vor allem für Bananen, Erdnüsse, Zitrusfrüchte und Erdbee-
ren. Im Hinterland, in den Taurusbergen,
gibt es zahlreiche Dörfer, in denen turk-
menische Nomaden leben, die sich mit
Teppichknüpferei und Holzarbeiten ein
bescheidenes Auskommen sichern. Auch
in Anamur flüchten die Städter im Sommer bei Temperaturen von über 40 Grad
in ihre Sommerhäuser auf den Gebirgsal-
men *(yayla)*. Wer sich für den Alltag einer Provinzstadt ohne Touristen interessiert, kommt in Anamur auf seine Kosten.

BÜCHER & FILME

▶ **Mehmet mein Falke** — Yaşar Kemal,
der berühmteste zeitgenössische Schriftsteller der Türkei, erzählt die Geschichte eines jungen Rebellen in der Gegend
von Adana, der sich gegen die Allmacht
der Großgrundbesitzer auflehnt.

▶ **Gebrauchsanweisung für die Türkei**
— Iris Alanyalı gibt in diesem Buch nütz-
liche Tipps in Umgang mit Land und
Menschen.

▶ **Charterführer Türkische Südküste** —
Nicht nur für Skipper: Andreas Fritsch
gibt nicht nur wertvolle Tipps für Segler,
sondern beschreibt auch mit Anekdo-
ten Landgänge entlang der türkischen
Südküste.

▶ **Kauderwelsch — Türkisch Wort für
Wort** — Marcus Stein orientiert sich in
diesem Buch am Reisealltag und vermittelt das nötige Rüstzeug, um schnell mit
dem Sprechen beginnen zu können.

▶ **Dumont on Tour — Türkei Südküste**
— Der Film (50 Min.) stellt die türkische
Riviera vor und führt den Betrachter von
den weiten Sandstränden zu den Berg-
dörfern des Taurusgebirges.

▶ **Sailing Turkey** — Der Münchner Filme-
macher Henry Hauck drehte 2004 diesen ebenso faszinierenden wie informa-
tiven filmischen Revierführer (45 Min.);
preisgekrönt und nicht nur für Seefahrer
ein echter Schatz!

Mamure Kalesi, Anamurs Kreuzritterburg, wurde im 12. Jh. erbaut

Etwas anders sieht es in dem 4 km entfernten *Anamur-İskele* aus, einem Vorort am Meer, der sich in den letzten Jahren – zumindest während der Saison – zu einem Treff für einheimische Touristen entwickelt hat. Am schönen Strand gibt es Hotels und Restaurants *(Minibusse vom Busbahnhof ab 7 Uhr).* Die eigentlichen Glanzlichter von Anamur liegen aber außerhalb der Stadt: die Kreuzritterburg *Mamure Kalesi* auf einer Halbinsel östlich von Anamur, die Ruinen von *Anemourion* im Südwesten sowie eine faszinierende Tropfsteinhöhle.

SEHENSWERTES

ANAMUR MÜZESI

Das kleine Museum im Ortsteil İskele zeigt Exponate aus dem nahen Anemourion. *Di–So 8.30–12.30, 13.30–17.30 Uhr | Eintritt 1,50 Euro | İskele Mah. | Fahri Görgülü Cad. 8 | www.kultur.gov.tr*

ANEMOURION

Auf dem südlichsten Zipfel des türkischen Festlands beeindruckt die von armenischen Fürsten erbaute Burg hoch auf den Klippen über dem Strand. Dieser malerische „Ort der Stürme", wie er bei den Griechen hieß, blickt auf eine lange Geschichte zurück, die mit griechischen Kolonisten begann und unter den Osmanen endete. Die Zitadelle wurde im 12. Jh. erbaut, die Überreste der Stadt stammen aus römischer und byzantinischer Zeit. Bei guter Sicht soll man von den Burgmauern aus sogar das ca. 70 km südlich gelegene Zypern sehen können. *Tgl. außer Mo | Eintritt 3 Euro | auf der Straße nach Antalya zweigt nach 5 km eine ausgeschilderte Straße nach Anemourion ab*

MAMURE KALESI ★

Diese Burg, auf einer felsigen Landzunge erbaut und von drei Seiten vom Meer umspült, ist die am besten erhaltene und schönste Kreuzritterburg an der türkischen Südküste. Die im 12. Jh. von fränkischen Baumeistern errichtete Festung wurde bis in die Neuzeit militärisch genutzt und im 19. Jh. von den Osmanen nochmal restauriert. Ihre mehrstöckigen Mauern sind gut erhalten. Die Wehrgänge sind begehbar, und wenn man den großen Turm an der Seeseite besteigt, hat man einen guten Überblick über die ganze Anlage. *Di–So 9–17 Uhr | Eintritt*

3 Euro | von Anamur 6 km nach Osten | Dolmuş vom Busbahnhof

ESSEN & TRINKEN

ANEMONIA RESTAURANT
Das Restaurant im gleichnamigen Hotel am Strand bietet gute Fleisch- und Fischgerichte. *İnönü Caddesi | İskele Mahallesi | Tel. 0324 8 14 40 00 | €€*

KAP ANAMUR
Schönes Restaurant auf der Terrasse des gleichnamigen Hotels. Hier kann man in angenehmer Atmosphäre frischen Fisch genießen. *İnönü Caddesi | İskele Mahallesi | Tel. 0324 8 14 23 47 | €€*

ÜBERNACHTEN

ESER PANSIYON
Nettes Haus mit großen Balkonen und kleinen Preisen. In der Gemeinschaftsküche kann man sich Kaffee kochen. Frühstück und Abendessen auf der weinberankten Dachterrasse mit Meerblick. *11 Zi. | İnönü Cad. 6 | İskele Mah. | Tel. 0324 8 14 11 61 | www.eserpansiyon.com | €*

KAP ANAMUR
Das Hotel liegt direkt am Strand. Freundlich geführtes Haus, angenehme Atmosphäre. *9 Zi. | İnönü Caddesi | İskele Mahallesi | Tel. 0324 8 14 23 74 | €*

MAMURE HOTEL
Am Yachthafen von Anamur in Bozyazı; eines der besten Mittelklassehotels der Gegend. Schöner Pool, gutes Restaurant. *42 Zi. | Yat Limanı | Bozyazı | 10 km östl. von Anamur | Tel. 0324 8 51 54 00 | www.hotelmamure.com | €€€*

INSIDER TIPP ▶ YALI MOCAMP
Campingplatz am Strand, 3 km nur außerhalb von Anamur, schattiges Gelände, Zelte und Bungalows; bequem mit dem Taxi zu erreichen. *Tel. 0324 8 14 14 35 | €*

AUSKUNFT

TURIZM DANIŞMA
Atatürk Caddesi 64 | Tel. 0324 8 14 35 29 | Online-Broschüre: www.anamur.gen.tr

ZIEL IN DER UMGEBUNG

INSIDER TIPP ▶ KÖŞEKBÜKÜ MAĞARASI
● (132 A6) (*ⓜ P7*)
20 km nördöstlich von Anamur in die Berge hinauf findet sich diese 500 m^2 große Tropfsteinhöhle mit riesigen Stalaktiten; die konstanten Temperaturen um 17 Grad und 80 Prozent Luftfeuchtigkeit sollen Leuten mit Bronchialleiden gut tun. *Tgl. bis Sonnenuntergang | Eintritt 1,50 Euro | www.anamuronline.com | Dolmuş vom Busbahnhof*

ANTAKYA

(135 E6) (*ⓜ Z7–8*) **Antakya, die heutige Hauptstadt (145 000 Ew.) der Provinz Hatay, gehört neben Istanbul zu den ältesten ohne Unterbrechung bewohnten Städten der Türkei.**
Das von einem der Feldherrn Alexanders des Großen nach dem Sieg bei Issos 333

CITY ▶ WOHIN ZUERST?
Antakya Müzesi: Man trifft sich am Archäologischen Museum in der Neustadt, das am zentralen Platz der Stadt liegt. Von hier gehen alle großen Straßen ab. Die Stadt wird vom Fluß Orontes geteilt; die Altstadt liegt auf der anderen Flussseite. Dort findet sich auch die Petrus-Grotte.

v. Chr. gegründete Antiocheia oder Antiochos war im 2. Jh. v. Chr. um ein Vielfaches größer als heute. Eine halbe Million Menschen lebten damals in der Stadt, die für ihren Reichtum berühmt war. 60 v. Chr. von den Römern erobert, wurde Antiocheia nach Rom und Alexandria die drittgrößte Stadt des Imperiums.

Heute ist Antakya eine der reichsten Städte der Türkei. Hier leben Muslime, Christen und Juden friedlich zusammen. Die verwinkelte orientalische Altstadt gehört zu den schönsten osmanischen Stadtkernen der Türkei. Allerdings leidet die Grenzstadt unter dem anhaltenden Bürgerkrieg in Syrien; es gibt hier viele

Prachtvolles römisches Bodenmosaik im Museum von Antakya

Die Stadt war aber nicht nur das römische Zentrum im östlichen Mittelmeer, sondern auch das erste Zentrum des Christentums nach Jerusalem. Hier soll Petrus in einer Grotte die erste christliche Gemeinde gegründet haben, die unter der Führung des Apostels Paulus zur größten christlichen Gemeinde ihrer Zeit wurde. Mehrere Erdbeben zerstörten die antike Stadt völlig. Um 1100 gründeten die Kreuzfahrer in Antiocheia ein eigenes Königreich, das knapp 200 Jahre Bestand hatte. Nach dem Ersten Weltkrieg gehörte Antakya zum französischen Protektorat Syrien und kam erst 1936 per Volksabstimmung zur Türkei.

Flüchtlinge, was für soziale Spannungen sorgt. Halten Sie sich von der unmittelbaren Grenzregion fern!

SEHENSWERTES

ANTAKYA MÜZESI (ARCHÄOLOGISCHES MUSEUM) ★

Das Stadtmuseum enthält nach dem Museum von Ravenna die größte Sammlung römischer Mosaiken weltweit. In fünf Sälen sind Mosaikfußböden und Wandmosaiken ausgestellt. Die Kunstwerke stammen hauptsächlich aus Antiocheia, aus Daphne, das zu römischer Zeit der Villenstandort der Reichen war, sowie aus der

Hafenstadt Seleukia. *Di–So 8.30–12.30, 13.30–17.30 Uhr | Eintritt 4 Euro | Cumhuriyet Meydanı | Gündüz Caddesi 1 | an der Hauptbrücke über den Fluss*

APOSTELKIRCHE ST. PETER ★ ●

Die Kirche besteht aus einem in der Kreuzritterzeit erbauten Portal, durch das man eine Grotte betritt, in der der Apostel Petrus der Legende nach weni-

und verwendet scharfe Gewürzte. Eine Spezialität sind die *Çiğ Köfte*, Bällchen aus Hackfleisch, das mit scharfen Gewürzen so lange geknetet wird, bis das Fleisch von selbst „kocht".

ABDO RESTAURANT

Hier wird hervorragende arabische Küche geboten. *Hürriyet Caddesi 19a | Tel. 0326 2 12 75 46 | €*

Die Apostelkirche St. Peter in Antakya ist seit 1983 Wallfahrtsort

ge Jahre nach dem Tod von Jesus die erste Gemeinde, die sich Christen nannte, gegründet haben soll. Der Ort wurde vom Vatikan 1983 für heilig erklärt und gilt seitdem als Wallfahrtsort. Jedes Jahr am 29. Juni, dem Todestag von St. Peter, wird in der Grotte ein Festgottesdienst abgehalten. Am Ende der Grotte befindet sich ein Tunnel, der den ersten Christen als Fluchtweg diente. *Di–So 8–12, 13.30–16.30 Uhr | Eintritt 4 Euro | an der Straße nach Reyhanlı, 1 km vom Zentrum*

ESSEN & TRINKEN

Die meisten Lokale liegen rund um die Hürriyet Caddesi unweit des Flusses. Die Küche in Antakya ist arabisch beeinflusst

INSIDER TIPP ANTAKYA EVI RESTAURANT

In historischen Räumen bietet das *Maison d'Antioch* eine große Auswahl an Gerichten der lokalen Küche. *Silahlı Kuvvetler Caddesi 3 | Tel. 0326 2 14 13 50 | €€*

ÜBERNACHTEN

Antakya hat viele Hotels, auch Boutiquehotels in historischen Häusern. Billige Herbergen liegen in der İstiklal Caddesi.

INSIDER TIPP OTTOMAN PALACE

Neues Fünfsternehotel mit klassischer, neo-osmanischer Einrichtung, großem Pool und türkischem Bad. 10 km vom Zentrum. *252 Suiten | Güngör*

Uydu Kent | Tel. 0326 2 55 16 16 | www.
antakyaottomanpalace.com | €€–€€€

SAVON

Aus einer alten Seifenfabrik machte das
Ehepaar Sehoğlu ein schickes Hotel, mit
komfortablen Zimmern, schönem In-
nenhof, Bar, Restaurant. 40 Zi., 3 Sui. |
Kurtuluş Cad. 192 | Tel. 0326 2 14 63 55 |
www.savonhotel.com.tr | €€€

AUSKUNFT

TURIZM DANIŞMA

Vali Ürgen Alanı Sokak 47 | Tel. 0326
2 16 06 10

ZIELE IN DER UMGEBUNG

ANTIOCHEIA (135 E6) (𝄞 Z7)

Vorbei an der Petrus-Grotte Richtung
Reyhanlı zweigt nach 5 km eine unbefestigte Straße zur Festung ab. Die Burg
wurde von den Byzantinern erbaut und
später von Kreuzrittern genutzt. Einige
Mauern und Wälle sind noch gut erhalten. Von Antakya 15 km

HARBIYE (DAPHNE) (135 E6) (𝄞 Z8)

Das heutige Harbiye hieß in der Antike
Daphne und war der Sommersitz der
Reichen von Antakya. Zum Ort gehört
ein Lorbeer- und Zypressenwald, der unterhalb der Hauptstraße beginnt und an
einem Wasserfall vorbei weit in die Ebe-
ne führt. Der Legende nach stellte der
Gott Apollo hier der Daphne nach, die
sich vor Verzweiflung in einen Lorbeer-
baum (türk. Defne) verwandelte. Heute
ist der Hain ein beliebtes Picknickziel. Unter Bäumen am Wasserfall finden sich etliche Lokale, z. B. das Boğaziçi Restaurant
(gegenüber den Wasserfällen | Tel. 0326
2 31 49 33 | €€). Von Antakya 9 km | Mini-
bus vom Busbahnhof oder an der Kurtuluş
Caddesi Dolmuş anhalten

SAMANDAĞ (135 E6) (𝄞 Y8)

Was früher Seleukia für Antiocheia war,
ist heute Samandağ für Antakya: der
Hafen- und Badeort der Stadt, den man
nach einer Fahrt über die Berge hinunter
erreicht. Nach Norden in Richtung Çevlik gelangt man nach wenigen Kilome-
tern zur ehemaligen antiken Hafenstadt
Seleukia Pieria. Von der Stadt selbst ist
nicht mehr viel zu sehen. Geblieben ist
ein beeindruckendes Zeugnis römischer
Ingenieurskunst: Um die Hafenstadt vor
Überschwemmungen aus den Bergen zu
schützen, mussten jüdische Sklaven zur
Zeit des Kaisers Vespasian und seines
Sohnes Titus einen Kanal graben, der
über 100 m lang auch als Tunnel durch
den Berg führt. 25 km südwestl. von An-
takya | Dolmuş vom Busbahnhof

SILIFKE

(133 D5) (𝄞 T7) Silifke (55 000 Ew.) als
Teil der Provinz Mersin ist ein geschichts-
trächtiger Provinzort, dessen Gründung
unter dem Namen Seleukia in die Zeit
des Feldzuges Alexanders des Großen
300 v. Chr. zurückgeht.
Die Bedeutung des antiken Seleukia er-
gab sich aus seiner strategischen Lage
am Ende des Göksu-Flusstals, das nördlich von Silifke einen Durchgang durch
das Taurusgebirge nach Zentralanatolien
schuf, die „Kilikische Pforte". Durch diesen Pass zogen die Heere der Antike bis
hin zu den Kreuzrittern auf dem Weg von
Anatolien nach Mesopotamien, und hier
verläuft noch heute die Hauptroute von
der Küste zur mittelanatolischen Stadt
Konya. Im Fluss Göksu, der damals Sa-
leph hieß, ertrank Kaiser Barbarossa am
10. Juni 1190, was letztlich dazu führte,
dass der dritte Kreuzzug zur Rückerobe-
rung Jerusalems scheiterte. Von der stol-
zen Vergangenheit zeugt heute in Silif-

ke nur noch die Burg über der Stadt. Die malerische Altstadt schmiegt sich unterhalb der Burg an den Hang. Das Zentrum mit Fischmarkt und Basar liegt rund um die noch aus römischer Zeit stammende *Taşköprü-Brücke* über den Göksu.

SEHENSWERTES

ARKEOLOJI MÜZESI (ARCHÄOLOGISCHES MUSEUM)

Die Attraktion des kleinen Museums sind Goldmünzen und Silberschmuck aus der Zeit Alexanders des Großen. Außerdem sind Webarbeiten, Trachten, Skulpturen und Keramiken ausgestellt. *Di–So 9–17 Uhr | Eintritt 2 Euro | an der Ausfahrtstr. nach Anamur*

AYATEKLA

Der Wallfahrtsort (Meryemlik) an der Straße nach Anamur ist nach der Heiligen Thekla benannt, einer frühen Christin, die sich hier in einer Höhle versteckte. Später nutzten die Urchristen die Höhle bis 313 als geheime Gebetsstätte. Heute ist sie zu einer unterirdischen Kirche ausgebaut. *Tgl. zu besichtigen, man muss evtl. nach dem Aufseher (Bekçi) fragen | Eintritt 1,50 Euro*

SILIFKE KALESI

Die Burg von Silifke wurde ursprünglich von armenischen Königen gebaut, später von den Johannitern genutzt. Der Weg zur Burg ist ein schöner Spaziergang durch die Altstadt. ☼ Vom **INSIDER TIPP** Café bei der Burg hat man eine schöne Aussicht auf Silifke und das Mündungsdelta des Göksu.

ESSEN & TRINKEN

Im Zentrum von Silifke gibt es viele der landesüblichen *lokantas*. Gute Fischrestaurants finden Sie im 8 km entfernten Ort *Taşucu* oder in der Feriensiedlung in *Kız Kalesi*, 25 km östlich von Silifke.

KALE RESTORAN ☼

Das Lokal hoch auf dem Hügel neben der Burg bietet einen schönen Blick und hat vor allem Fleischgerichte im Angebot. *Kalenin Yanı | €€*

ÜBERNACHTEN

CLUB BARBAROSSA

Das beste Hotel im Ferienresort *Kız Kalesi*. Das Haus hat ein schönes Restaurant, am Abend wird es zuweilen laut. *79 Zi. | Kızkalesi-Erdemli | Tel. 0324 5 23 23 64 | www.barbarossahotel.com | €€*

LADES MOTEL

Näher an Silifke, in Taşucu direkt am Meer, liegt das schöne Mittelklassehaus mit Pool und Balkonen. **INSIDER TIPP** Exkursionen ins Vogelschutzgebiet Göksu-Delta. *22 Zi. | Tel. 0324 7 41 40 08 | www.ladesmotel.com | €€*

LOW BUDGET

▶ In der Religionsstadt Antakya muss man einen Nachmittag in der Kurtuluş-Allee, im Dreieck Moschee-Kirche-Synagoge verbringen. Den Döner zum Mittag gibt's im preiswerten Restaurant *Abdo (Tgl. | Hüriyet Cad. 19/A | Tel. 0326 2 12 75 46)*.

▶ Der Bildhauer Abdullah Özalp fertigt in seinem Atelier in Antakya billige Kopien von antiken Figuren. Das örtliche Museum stellt ein „Unechtszertifikat" zum Ausführen aus! *Atölye A Heykeltıraş | Karyer Mahallesi | Harbiye Antakya | Tel. 0326 2 31 32 88*

AUSKUNFT

TURIZM DANIŞMA
Veli Gürten Bozbey Caddesi 6 | Tel. 0324 714 53 28

ZIELE IN DER UMGEBUNG

INSIDER TIPP CENNET VE CEHENNEM ÇÖKÜKLERI (133 E5) (*T7*)

Auf halber Strecke zwischen Silifke und Kız Kalesi zweigt bei Narlıkuyu eine Straße zu den Grotten von Cennet ve Cehennem („Paradies und Hölle") ab. Von den zwei großen Felshöhlen ist die untere, die senkrecht hinabführende „Hölle", nicht zugänglich. In der Antike glaubte man, dass hier der Eingang zur Hölle lag, der von dem schlangenköpfigen Typhon bewacht wurde. Über eine Felstreppe (450 Stufen!) kommt man ins „Paradies", an dessen Eingang eine kleine Kapelle steht. *Eintritt 2 Euro | 21 km von Silifke*

INSIDER TIPP DIOKAISAREA ☼ (133 D4) (*T6*)

Nördlich von Silifke, nahe des Dorfes Uzuncaburç, liegt auf 1100 m Höhe im Hochland des südlichen Taurus die antike Kultstätte Diokaisarea mit dem *Tempel des Zeus Olbios*, von dem 30 große, frühkorinthische Säulen stehen geblieben sind. In einer schönen Berglandschaft ragen die 2300 Jahre alten Säulen in den Himmel, umgeben von weiteren Monumenten aus dem 3. Jh. v. Chr. wie dem *Tyche-Tempel. Eintritt 1,50 Euro | von Silifke über Demircili nach Uzuncaburç 28 km*

KIZ KALESI (133 E5) (*U7*)

Dieser Ferienort am Platz des antiken Korykos liegt gegenüber der berühmten ★ *Mädchenburg (Kız Kalesi)*, die 300 m vom Festland entfernt auf einer kleinen Insel steht. Der Legende nach brachte man hier einst die Tochter eines Sultans unter, um sie vor einem prophezeiten Schlangenbiss zu schützen. Das Mädchen wurde dann doch von einer Schlange gebissen, die in einem Obstkorb in die Burg gelangte. Tatsächlich war die Mädchenburg zu byzantinischen Zeiten schon durch einen Damm mit dem Fest-

Die „Mädchenburg" liegt vor Silifke auf einer Insel

land verbunden, der zur Landburg gegenüber führte. Von der Landburg sind ebenfalls noch Wälle erhalten, im Innern finden sich die Reste einer Kapelle. Von der antiken Stadt Korykos sind nur noch einige Sarkophage einer Begräbnisstätte zu sehen. *Eintritt 2 Euro | von Silifke 35 km | Dolmuş oder Bus vom Busbahnhof*

AUSFLÜGE & TOUREN

Die Touren sind im Reiseatlas, in der Faltkarte und auf dem hinteren Umschlag grün markiert

1 STREIFZUG UM DEN GOLF VON GÖKOVA

Diese Rundreise durch den Südwestzipfel der Türkei bietet einsame Strände, lebhafte Ferienorte und antike Entdeckungen. 450 km, Dauer: 3–4 Tage.

Sie starten von **Marmaris** → S. 46 aus nach Westen in Richtung Datça. Wenn nach 10 km die letzten Feriensiedlungen verschwunden sind, beginnt eine traumhaft schöne Strecke durch die Pinienwälder der Datça-Halbinsel. In engen Kurven zieht sich die Straße über die Berge und bietet immer wieder überraschende Ausblicke. Nach 25 km kommt der erste Abstecher. Links zweigt die Straße nach **Bozburun** → S. 49 ab (20 km). Das Fischerstädtchen Bozburun mit den Werften für den Bau der *Gulets,* der typischen Blaue-Reise-Yachten, zählt heute zu den wenigen noch authentischen Orten der Region. Am Hafen kann man vorzüglich Fisch essen, bevor man zur Hauptstraße zurück in Richtung Datça fährt. 10 km, nachdem man die Hauptstraße wieder erreicht hat, öffnet sich der Blick aufs Meer. Hier sollten Sie eine Pause machen, um auf den nächsten Hügel zu steigen, denn die Halbinsel ist hier so schmal, dass Sie einen phantastischen Blick sowohl auf den Gökova-Golf im Norden wie auf den Hisarönü-Golf im Süden haben. In **Datça** → S. 48 empfiehlt es sich, etwas vom Hafen entfernt in Alt-Datça zu übernachten. Von Datça aus geht der nächste Abstecher nach

Bild: Hafenbucht und Burg von Bodrum

Fahrten ans Meer, in die Berge und in die frühe christliche Vergangenheit sowie eine Wanderung auf dem Lykischen Wanderweg

Knidos. Die 40 km Schotterstraße bis an die Spitze der Halbinsel sind eine Herausforderung für jedes Auto, schöner ist deshalb die Tour mit einem Boot. Die antike Stätte von Knidos ist ein besonderes Erlebnis. Wieder zurück in Datça geht es von dem kleinen Hafen *Körmen* auf der Nordseite der Halbinsel am Gökova-Golf mit der Fähre nach **Bodrum**. In Bodrum sollte man die Burg besichtigen und auch über Nacht bleiben, um den Trubel dieser beliebten Ägäisstadt zu genießen, z. B. im *Manastır Hotel (59 Zi. | Barış Si-*

tesi 37 | Kumbahçe Mahallesi | Tel. 0252 3 16 28 58 | www.manastirbodrum.com | €€) mit Sicht über die Stadt.

Bevor die Reise in Richtung Milas weitergeht, machen Sie noch einen Abstecher zu der schönen Bucht von Gümüşlükan die Westspitze der großen Bodrum-Halbinsel. Sie folgen der Hauptstraße Richtung Turgutreis und biegen nach 20 km rechts in eine kleinere Straße nach **Gümüşlük** ab. Die Straße endet nach 15 km am Meer, wo es mehrere schöne Restaurants am Wasser gibt, ein Kiesel-

Gümüslük bei Bodrum: Restaurants säumen das Ufer

strand lädt zum Baden ein. Zurück in Bodrum geht es Richtung Nordosten nach **Milas**. Die Kleinstadt im Hinterland hat eine schöne Altstadt, die einen Besuch lohnt. Milas hat zwei alte, sehenswerte Moscheen, *Firuz Bey Camii* (1394) und *Ulu Camii* (1378). Von Milas aus geht es über die Straße 330 durch dichte Wälder in die Berge nach **Yatağan**. Kurz vor Yatağan, beim Dorf Eskihisar, liegt etwas versteckt das antike **Stratonikeia**. Die Anlage aus dem 3. Jh. v. Chr. ist z. T. überwachsen und wirkt verwunschen.

In Yatağan geht es weiter über die 330 zur Provinzhauptstadt **Muğla**. Muğla ist der höchste Punkt dieser Rundreise; von hier aus geht es 30 km über eine teilweise atemberaubende Serpentinenstrecke wieder hinunter an die Küste nach Gökova. Der kleine Ort **Akyaka** bei Gökova liegt an der Spitze des Golfs von Gökova; schöne Übernachtung im *Hotel Yücelen (Akyaka Beldesi Ula | €€)*. Über die Straße 400 geht es dann von Gökova zurück nach Marmaris.

2 REISE IN DIE URCHRISTLICHE VERGANGENHEIT

Die Rundreise führt durch Hatay, das Land des frühen Christentums, der Kreuzritter und Armenier, das heute durch arabische Einflüsse geprägt ist. Die Tour ist ca. 200 km lang und dauert zwei Tage.

Sie starten in **Antakya → S. 86**. Doch bevor Sie die Stadt zur Küste hinab verlassen, machen Sie noch einen Abstecher in die Frühzeit des Christentums. An der Ausfahrtstraße nach Reyhanlı, der Süreyya Halefoğlu Caddesi, liegt am Rand des Zentrums die **Apostelkirche St. Peter → S. 88**, die sogenannte Petrus-Grotte. Nun gibt es in Anatolien zwar eine ganze Reihe von Höhlenkirchen aus der Frühzeit des Christentums, doch diese hat eine besondere Geschichte. Wenige Jahre nach der Kreuzigung von Jesus in Jerusalem soll der Apostel Petrus hier die erste christliche Gemeinde gegründet haben.

Zurück durchs Zentrum beginnt die Reise hinunter an die Küste nach Samandağ. Bevor Sie die 30 km hinunterfahren, machen Sie noch einen Abstecher zum **INSIDER TIPP** Kloster *Simon Manastırı*. Über eine ausgeschilderte Straße erreicht man nach 20 km ein Klosterareal, das zu Ehren des hl. Simon errichtet wurde, der hier über 40 Jahre auf einer Säule gelebt haben soll. Zurück zur Straße nach Samandağ geht es nun über eine terrassenförmige Landschaft hinab ans Meer. **Samandağ → S. 89** ist der Strand von Antakya. An diesem Strand, auf einem weißen Kalksteinhügel, steht ein alewitisches Heiligtum, das dem Mystiker Hızır gewidmet ist.

Samandağ bietet sich an für ein Bad und eine Mahlzeit am Strand, bevor es in nördlicher Richtung weiter nach **Seleukia Pieria** geht. Hier liegt der antike Hafen von **Antiocheia**, der in der christlichen Geschichte bedeutsam war, weil von hier aus die Missionsfahrten des Paulus begannen. Heute ist von der alten Hafenstadt nicht mehr viel zu sehen. Die Attraktion ist der Tunnel von Vespasian und Titus, zwei römischen Kaisern (Vater und Sohn), die von jüdischen Sklaven einen Kanal graben ließen, der auf 130 m als Tunnel durch den Berg führt.

Auf der Küstenstraße weiter nach Norden erreicht man das Dorf **Çevlik**. Es liegt am Fuß des Musa Dağ, des Schauplatzes des berühmten Romans von Franz Werfel „Die vierzig Tage vom Musa Dag". Werfel schildert die Vertreibung der Armenier in der Endphase des Osmanischen Reiches am Beispiel der Bewohner der Dörfer auf dem Berg Musa. Von Çevlik aus kann man auf den Berg wandern.

Ab Çevlik kommen die schwierigsten 30 km der Rundreise. Eine unbefestigte Straße zieht sich durch die Berge oberhalb der Klippen, erst zum Dorf **Karagöl** und dann zu den Ruinen einer Kreuz-

fahrerburg an der Spitze des Kaps **Hınzır Burnu**. Ab hier wendet sich die Küste nach Nordosten, und die Straße wird in Richtung des Städtchens Uluçınar wieder besser. **Uluçınar** ist ein schöner Badeort, wo sich das *Hotel Aruz (12 Zi. | Tel. 0326 6 43 24 44 | €€)* für eine Übernachtung anbietet. Von Uluçınar aus führt die Straße zunächst 30 km in Richtung İskenderun. Von der E91 biegen Sie rechts nach Belen und Antakya ab. Die Straße führt zum Pass über die Nuh-Berge hinauf, wo man kurz vor Belen ☼ einen tollen Blick aufs Meer und auf İskenderun hat. Bald hinter Belen (10 km) kommt ein kleiner, unbefestigter Abzweig zur Kreuzritterburg **Bagras Kalesi**. In dem Kreuzritterstaat, den die Ritter des ersten Kreuzzugs 1098 mit dem Zentrum Antiocheia gründeten, war die Burg der Vorposten zum Schutz der Straße nach Antiocheia. Zurück zur Hauptstraße sind es noch 40 km bis Antakya.

③ HOHE BERGE, KÜHLE SEEN

Die Rundreise nördlich von Antalya durch das Taurusgebirge zu den großen Seen ist ein Angebot an Naturliebhaber und Wanderer. Sie führt über ca. 600 km, dauert 3–4 Tage und stellt Ansprüche an Auto und Fahrer.

Von **Antalya → S. 51** aus geht es zunächst auf der Hauptstraße nach Alanya bis zur Landstraße 685, die kurz vor Aksu nach Norden abbiegt. Die Straße folgt dem Fluss Aksu durch die Berge und passiert nacheinander zwei Stauseen, **Karaca Ören 1** und **2**. Ca. 10 km hinter dem zweiten Stausee geht bei dem Weiler Aşağıgökdere eine kleine Straße nach rechts, die Sie an den **Kovada Gölü**, einen See im gleichnamigen Naturschutzgebiet, bringt. Der Kovada-See wird durch einen natürlichen Kanal aus dem großen Eğirdir-See gespeist. Um den See führt ein sehr INSIDER TIPP schöner Wanderweg (3–4 Std.), den man sich nicht entgehen lassen sollte.

Vom Kovada-See aus geht der Weg weiter nach Norden entlang des Kanals bis zum Eğirdir Gölü, von wo aus man dann die Stadt Eğirdir unten am See liegen sieht. Eğirdir ist eine schöne Provinzstadt mit historischem Kern und zwei vorgelagerten Inseln, die durch einen Damm mit dem Festland verbunden sind. Auf Yeşilada an der Spitze zum See hinaus kann man im Mavi Göl Oteli (20 Zi. | Tel. 0246 311 64 17 | €) preiswert und gut übernachten. Der See hat sauberes Wasser und eignet sich zum Baden.

Von Eğirdir folgen Sie der 330 über eine malerische Strecke am See entlang nach Norden in Richtung Beyşehir. Nach ungefähr 120 km erreichen Sie Şarkikaraağaç (sprich: Scharkikaraadsch), wo nach rechts eine kleine Straße abzweigt, die zum Kızıldağ-Nationalpark am Westufer des Beyşehir Gölü, des drittgrößten Sees der Türkei, führt. Im Nationalpark gibt es Berghütten, die man für Übernachtungen mieten kann. Man darf auch ein Zelt aufbauen. Der Nationalpark ist ein Wanderparadies, und der See eignet sich zum Schwimmen oder Angeln.

Am nächsten Tag folgen Sie dem Weg am See entlang weiter nach Süden bis Yenişarbademli. Dieses Dörfchen steht an einem Platz, der bereits vor 4000 Jahren von Hethitern bewohnt war. Auf gleicher Höhe direkt am See erhebt sich eine seldschukische Burg. Die Straße geht noch über 30 km am See entlang, bis sie bei Üstünler wieder auf eine größere Landstraße (695) trifft. Von hier aus fahren Sie zunächst nach links bis zur Stadt Beyşehir, die einige seldschukische Sehenswürdigkeiten zu bieten hat, wo man aber vor allem am See gut essen kann. Nach dem Abstecher nach Beyşehir geht es dann auf derselben Strecke wieder zurück und die Landstraße 695 weiter nach Süden. Es folgen 180 km auf einer wunderschönen Bergstraße durch den Taurus zurück ans Mittelmeer. Kurz vor Manavgat trifft die 695 auf die große Küstenstraße. Von hier sind es nur noch 20 km bis Side → S. 76 wo man nach der Einsamkeit der Bergwelt mal wieder den Rummel eines Touristenortes genießen kann. Zurück nach Anta-

Der Stadtstrand von Side hat die alte Stadtmauer im Rücken

lya sind es von hier aus 70 km auf einer Schnellstraße.

AUF DEM LYKISCHEN WANDERWEG ●

Der Lykische Wanderweg ist der prominenteste Fernwanderweg der Türkei. Man muss aber nicht die ganzen 509 km erwandern, der Weg kann auch abschnittsweise begangen oder zu Tagestouren genutzt werden.

Der Lykische Weg *(Likya Yolu)* führt von Fethiye nach Antalya, teils direkt am Meer entlang, teils durch das Taurusgebirge im Hinterland. Er beginnt kurz hinter Fethiye im kleinen Ort Ovacık, endet kurz vor Antalya in Hisarçandır und durchquert die zauberhafte Landschaft des antiken Lykiens. Der Weg berührt einige der reizvollsten Plätze der Mittelmeerküste, angefangen von der Ölüdeniz-Bucht über den Sandstrand von Patara und die versunkenen Städte von Kekova bis zum Olympos-Nationalpark. Von Phaselis über Myra bis Xanthos und Letoon finden sich unterwegs antike Stätten von Weltgeltung.

Wer den gesamten Weg wandern will, sollte gut vier Wochen Zeit mitbringen. Die Route ist für normal trainierte Wanderer gedacht und erfordert keine alpinen Kenntnisse, auch wenn einzelne Etappen etwas schwieriger sind. Die Wanderroute ist in 25 Etappen unterteilt, die man jeweils an einem Tag schaffen kann. Start- und Endpunkte sind mit gelbgrünen Wegweisern und Kilometerangaben an größeren Straßen und in Ortschaften gekennzeichnet. Im Gelände sind Bäume und Felsen mit weiß-roten Strichen markiert. Grundsätzlich führt die gesamte Wanderroute mal unterhalb, mal oberhalb der großen Küstenstraße von Fethiye nach Antalya entlang, sodass es immer wieder Ein- und

Ausstiegsmöglichkeiten gibt. Nur an einigen wenigen Passagen durch die Berge treffen sie bis zu drei Tage lang auf keine größere Ortschaft. Ansonsten gibt es zumindestens in der Saison fast immer kleine Pensionen in den Dörfern, die Bed & Breakfast anbieten. Die besten Wanderzeiten sind das Frühjahr, der Frühsommer bis Mitte Juni und dann wieder ab Mitte September bis in den Spätherbst, Ende November.

Die ersten sechs Etappen von **Fethiye → S. 39** aus führen durch Hügel oder direkt am Strand entlang. Es geht zwar rauf und runter, an Höhenunterschied sind aber maximal 500 m zu überwinden. Die gesamte Strecke bis **Kalkan → S. 58** ist deshalb auch für ungeübte Wanderer machbar. Hinter Kalkan geht es bis nach **Kaş → S. 62** das erste Mal richtig in die Berge; dieser Abschnitt ist eher für Wanderprofis. Danach kommt von Kaş bis **Kale** (dem antiken Myra) noch einmal eine landschaftlich sehr reizvolle Strecke, die bis auf einen 400 m hohen Hügel überwiegend am Meer entlangführt und leicht zu bewältigen ist (Etappen 12–14). Von Kale nach **Finike** geht es dann steil bis auf 1700 m hinauf, in eine verkarstete Gebirgslandschaft. Hier sind sie auf Selbstversorgung und gute Kondition angewiesen. Nach Finike kommt eine eher reizlose, landwirtschaftlich genutzte Tiefebene, die man am besten mit dem Bus durchquert. Danach geht es dann bereits in den **Olympos-Nationalpark → S. 68**, der in seinen ersten Streckenabschnitten bis zum herrlichen Badeort **Çıralı** auch für Anfänger ein Genuss ist. Ab Çıralı kommen dann die Hochlagen des Nationalparks mit dem über 2000 m hohen **Tahtalı Dağı → S. 69**. Die Strecke von Çıralı bis zum Ende des Weges nach **Hisarçandır** sollten sich deshalb nur noch Leute vornehmen, die im Bergwandern geübt sind.

SPORT & AKTIVITÄTEN

Die türkische Mittelmeerküste – das bedeutet für sportlich Aktive vor allem schwimmen, tauchen, segeln und Wasserski fahren.

Tatsächlich hat sich entlang der türkischen Küste das Angebot an sportlichen Aktivitäten längst weit über den Wassersport hinaus ausgedehnt. Von Golf über Paragliding, Wandern, Trekking und Rafting bis zu Reiten und Tennis spielen ist fast alles möglich. Auch auf das Sportangebot wirkt sich die Kombination von Meer und Bergen positiv aus. In Antalya kann man noch bis in den Frühsommer hinein Ski- und Badeurlaub miteinander verbinden. Ihr Hotel wird Ihnen bei der Buchung von Aktivitäten helfen oder bietet in der Regel selbst Touren und Projekte an.

CANYONING

Canyoning ist eine abenteuerliche Mischung aus Wandern und Klettern in Schluchten, das einiges an sportlichem Geschick und körperlicher Fitness voraussetzt. Das schönste Ziel dafür ist der *Saklıkent-Cañon* im Taurusgebirge zwischen Fethiye und Kaş. Der Cañon ist so schmal, dass die Sonnenstrahlen das Wasser des Flusses Eşen auf dem Grunde der Schlucht nicht erreichen. Zwischen Ein- und Ausgang des Cañons ist ein Höhenunterschied von immerhin 700 m zu überwinden. Spezialist für Touren im Taurusgebirge ist *Kesit Tourism (Demircikara Mahallesi | Narenciye Caddesi 7/4 | Balta Sitesi | Antalya | Tel. 0242 3 22 44 40 | www.kesit.com)*.

Bild: Surfer im Golf von Gökova

Das Sportangebot am türkischen Mittelmeer bleibt dank der Taurusberge nicht nur auf Wasseraktivitäten beschränkt

GOLF

Golfen kommt an der türkischen Südküste immer mehr in Mode. Vor allem in der Umgebung von Antalya wurden sehr viele neue Plätze angelegt. Das Mekka für Golfer ist aber nach wie vor *Belek*, ein luxuriöses Resort zwischen Antalya und Side. Empfehlenswert ist auch der *Gloria Golf Club (Acisu Mevkii | Tel. 0242 715 15 20 | www.gloria.com.tr):* zweimal 18 Loch (par 72), einmal 9 Loch, 6288 m auf 110 ha.

JEEPSAFARIS

Jeepsafaris in die Taurusberge gibt es von den großen Orten der Südküste, z. B. von Antalya. Man kann den Jeep mit oder ohne Fahrer mieten oder an einer organisierten Tour teilnehmen. Kinder unter 8 Jahren dürfen nicht mit. Essen gibt's in einfachen Dorflokalen, Erfrischung in Gebirgsbächen. *Jeep Safari (Muratpaşa, Tarım Mah. | Perge Bulvarı | Eriş Sitesi, Atalay | Apt. 39/2 | Antalya | Tel. 0242 3 12 80 66 | www.safariturkey.com).*

MOUNTAINBIKING

Fahrradtouren entlang der Küste sind schwer im Kommen. Eine wunderschöne Tourmöglichkeit für Zweiradfreunde: mit dem Mountainbike an tausend Jahre alten Zedernbäumen vorbei auf einem 45 km langen Parcours rund um Kaş: *Bougainville Travel (İbrahim Serin Caddesi 10 | Kaş | Tel. 0242 8 36 37 37 | www.bt-turkey.com)*. Auch in Side haben sich Mountainbike-Liebhaber etabliert: *Side Nar Travel (Atatürk Bulvarı 118b | Tel. 0242 7 53 34 17 | www.antalyabike.com)* mit schönen Tourkarten.

PARAGLIDING

Einer der schönsten Plätze, um mit dem Gleitschirm zu schweben, ist *Ölüdeniz*. Der Sprung vom 2000 m hohen Babadağ ins Tal ist aber nichts für schwache Nerven und geschieht auf eigenes Risiko – es kommt immer mal wieder zu Unfällen. *Skysports Paragliding Fethiye (Çarşi Caddesi | im EG vom Tonoz Hotel | Tel. 0252*
6 17 05 11 | www.babadag.com | www.skysports-turkey.com)*.

RAFTING

An der Südküste gibt es zwei Flüsse, die sich besonders für Rafting eignen: der *Dalaman* nördlich von Dalyan und der *Köprüçay*, den man von Antalya aus erreicht. Der untere Teil des Dalaman ist auch für Anfänger geeignet. Die Veranstalter fahren die Gäste zum Ausgangspunkt des 12 km langen Parcours *(ca. 30 Euro)*. Der Köprüçay eignet sich vor allem im Sept./Okt. zum Rafting. *Aquarafting Turville (Kırcami Mahallesi | Perge Caddesi 95/3 | Tel. 0242 3 11 48 45 | www.antalya-rafting.net)*.

REITEN

Ein Erlebnis ist ein **INSIDER TIPP** **Ausritt am Strand von Patara**. Der fast 20 km lange Strand ist oft menschenleer. Unterwegs kommt man an Bächen und antiken Ruinen vorbei: *Sultan Han Çiftliği*

Ein besonderes Erlebnis: Ausritt am Strand von Patara

(Tel. 0242 8 43 51 60). In der *Berke Ranch* (27 Zi. | Hotel Berke Ranch | Akcasaz Mev. Çamyuva | Tel. 0242 8 18 03 33 | €€€) kommt man bequem unter; Ausritte auch für Nicht-Hotelgäste.

SEGELN

Die türkische Mittelmeerküste gehört zu den beliebtesten Segelrevieren Europas. Große Marinas gibt es in Marmaris, Bodrum, Fethiye und Antalya. Beliebter Ausgangspunkt für eine Chartertour ist Marmaris, weil man von hier aus in die Ägäis oder die Südküste entlang segeln kann. Info z. B. *Deutscher Segler-Verband* (Gründgensstr. 18 | 22309 Hamburg | Tel. 040 6 32 00 90 | www.dsv.org).

SKI FAHREN

Die **INSIDER TIPP** *Alm Saklıkent* (Von Antalya 49 km | Dolmuş vom Busbahnhof) auf 1850 m Höhe nördlich von Antalya rühmt sich, das dem Meer und dem Äquator am nächsten gelegene Skigebiet der Welt zu sein. Die Abfahrten liegen auf 2500–2750 m Höhe. Übernachtung: *Saklıkent Ski Resort* (95 Betten | Doyran Koyu | Saklıkent Mevkii | Tel. 0242 4 46 11 37 | www.saklikent.com.tr | €–€€) und *Saklısale Pension* (29 Betten | Tel. 0242 4 46 12 00 | €). Für Verpflegung sorgen das *Bakırlı Café-Restaurant* (Tel. 0242 4 46 12 80 | €€) und das *Sportland Café* (Tel. 0242 4 46 10 73 | €€).

SURFEN

An der Türkischen Riviera wird zwischen Side und Alanya überall gesurft. Fortgeschrittene bevorzugen die Buchten auf der Südseite der *Datça-Halbinsel* (www.surfspot.de/surfspots/asien/tuerkei/datca.html), wo die Windverhältnisse sehr gut sind.

TAUCHEN

Fast an jedem Urlaubsort gibt's *Tauchschulen*. Einige gute Adressen:
– Alanya: *Deep Sea Diving Center* (Pal Cafe | Avsallar–Alanya | Tel. 0532 2 73 41 36 | www.deep-sea-diving.de)
– Antalya: *Stingray Diving* (The Marmara Hotel | Eski Lara Yolu 136 | Tel. 0242 3 16 04 30 | www.stingraydiving.com)
– Dalyan: *Dalyan Dive Centre* (Maras Mahallesi | Tel. 0555 4 12 54 38 | www.dalyandivecentre.com)
– Datça: *Manta Diving Center* (Aktur Tatil Sitesi | Tel. 0252 7 24 66 54)
– Fethiye: *European Diving Centre* (Kordon Caddesi, Hukuk Sitesi 20 | Tel. 02526 14 97 71 | www.europeandivingcentre.com)
– Kalkan: *DOLPHIN Scuba Team* (Tel. 0242 8 44 22 42 | www.dolphinscubateam.com)
– Kaş: *Barakuda Club* (Tel. 0242 8 44 39 55 | www.barakuda-kas.de)
– Kemer: *MARTI Diving Center* (Tekirova Grand Bazaar 6 | Tel. 0242 8 21 40 70)
– Marmaris: *European Diving Center* (Tel. 0252 4 55 47 33 | www.europeandivingcentre.com)
– Side: *Antik Diving Center* (Denizbükü Mev. P. K. 14 | Tel. 0242 7 53 41 12)

TREKKING & WANDERN

Im Taurusgebirge gibt es neben dem Lykischen Wanderweg zahllose weitere Möglichkeiten für Touren und Wanderungen aller Längen und Schwierigkeitsgrade. Zwei der schönsten Ziele sind der Berg *Sandras* (2294 m) bei Muğla und das von Millionen von Schmetterlingen bevölkerte **INSIDER TIPP** *Schmetterlingstal* (Boote von Ölüdeniz aus | www.infethiye.net) am Fuß des Babadağ bei Fethiye, dessen Eingang man allerdings nur mit dem Schiff erreichen kann.

MIT KINDERN UNTERWEGS

Die Türkei ist ein kinderfreundliches Land, in dem der Nachwuchs einfach immer dazugehört. Man kann jedes Restaurant mit Kindern zusammen besuchen, und häufig nehmen sich die Kellner noch der lieben Kleinen an, damit man selbst in Ruhe essen kann.

Mittlerweile gibt es allerdings auch hier Hotels, in denen Kinder unter 16 Jahren nicht akzeptiert werden – fragen Sie vorher nach. In den großen Ferienanlagen jedoch gibt es häufig Miniclubs für die Kleinen, in denen geschultes Personal diverse Aktivitäten und Belustigungen für Kinder anbietet. Das ist für den Nachwuchs abwechslungsreich und gibt den Eltern die Möglichkeit, auch mal einen Nachmittag ohne Anhang in der Sonne zu liegen. Besonders kinderfreund-

liche Herbergen bieten sogar Tennis-, Schwimm- oder Surfkurse für Kinder an. Doch selbst wenn man nicht extra in einer auf Kinderbetreuung eingestellten Ferienanlage seinen Urlaub bucht – was gibt es Schöneres für Kinder, als mit Eimer und Schaufel bewaffnet den Tag am Strand zu verbringen? Dazu kommt die Möglichkeit, Ausflüge in Naturparks oder Museen zu unternehmen. Viele Nationalparks in den Taurusbergen sind landschaftliche Highlights, die mit interessanten historischen Stätten kombiniert sind. So bietet z. B. der *Termessos-Nationalpark* bei Antalya eine grandiose Naturkulisse, in der man einen Spaziergang spannend mit der Entdeckung antiker Stätten verbinden kann. Das große *Museum von Antalya (s. S. 104)* hat sich bereits auf

**In der Türkei sind Kinder willkommen –
die Kleineren sind auch am Strand mit Eimer
und Schaufel zufrieden**

Kinder eingestellt. Neben diesen traditionellen Möglichkeiten gibt es vor allem in den Tourismuszentren mehr und mehr kommerzielle, speziell auf Kinder zugeschnittene Einrichtungen. Besonders in Mode gekommen sind die *Aquaparks*, in denen sich Kinder auf langen Wasserrutschen vergnügen können.

Auf eins müssen Sie unbedingt achten: Nicht jeder Hotelpool ist, vor allem nachts, beaufsichtigt. Es kommt auch vor, dass der Poolabfluss kein Gitter mehr hat – das ist vor allem für Kleinkinder sehr gefährlich! Bei extrem hohen Temperaturen von über 30 Grad sollte man die Kinder keine leicht verderblichen Lebensmittel wie Mayonnaise, Sahne, Fisch oder Huhn essen lassen.

DER SÜDWESTEN

KANUTOUR AUF DEM EŞEN
(126 A–B 5–6) *(⋔ F6–7)*

Ein besonderes Vergnügen für die ganze Familie ist eine Kanu- oder Paddeltour auf dem Fluss Eşen. Im Unterschied zum

Rafting geht es dabei allerdings eher gemütlich zu – die Unternehmung ist deshalb auch für Kinder ungefährlich. Der Eşen kommt nördlich des großen Pata-

Die Türkei ist ein kinderreiches und kinderfreundliches Land

ra-Strandes aus dem Taurusgebirge und erreicht das Meer über den Strand. Eine Tour beginnt meist gegen 11 Uhr unter der Brücke in Kınık. Nach ca. 6 Stunden, in denen auch Pausen zum Schwimmen und Essen eingelegt werden, erreicht man am späten Nachmittag den Strand von Patara. Zum Abschluss der Tour wird meist noch ein Barbecue angeboten. Kanus und Schwimmwesten können bei verschiedenen Veranstaltern in Pata-

ra ausgeliehen werden *(ca. 20 Euro pro Person inkl. Barbecue)*. Anbieter: *Dardanos Turizm (Tel. 0242 8 43 51 09)*; *Nikola's Tour (Tel. 0242 8 43 51 54)*.

ANTALYA / LYKISCHE KÜSTE

ANTALYA MÜZESI (128 B6) (*K5–6*)

Im Museum von Antalya gibt es eine eigene Kinderabteilung (hinter dem Eingang rechts), die erste ihrer Art in einem türkischen Museum. Es werden u. a. Spielzeug und schöne Spardosen ausgestellt. In den **INSIDER TIPP** Kinderwerkstätten dürfen die Kleinen bei der Restaurierung kleiner Gegenstände auch selbst Hand anlegen oder in Kursen töpfern und malen lernen. Über die Termine muss man sich vorab informieren. *Di–So Okt.–April 8.30–12.30, 13.30–17.30, Mai–Sept. 9–18 Uhr | Eintritt 3 Euro | Cumhuriyet Caddesi, Ecke Konyaaltı Caddesi | Tel. 0242 2 38 56 88 | www.antalya.de/museum.htm*

INSIDER TIPP AQUAPARK DEDEMAN (128 B6) (*K6*)

Auf dem Weg zum Lara-Strand, ca. 3 km vom Stadtzentrum Antalyas, liegt der auf 40 000 m^2 errichtete Wasserpark unter dem Dach des Hotels Dedeman. Riesenpools und -rutschen, Babypark, Cafés, Restaurants – und das alles am Hang, mit wunderschönem Blick aufs Meer. Nicht nur für Kinder! *Mai–Mitte Sept. tgl. 10–17 Uhr | Eintritt ca. 15, Kinder 10 Euro, für Menschen unter 7 und über 60 Jahre Eintritt frei | Dedeman Oteli | Şirinyalı Mahallesi | Lara Yolu 1 | Tel. 0242 3 16 44 00 | www.aquaparkantalya.com.tr*

AQUAWORLD KEMER (127 E4–5) (*J6*)

Mitten im Ort liegt ein Paradies für kleine und große Wasserplantscher: Gigantische Rutschen – Namen wie „Kamikaze" und „Crazy River" sprechen für sich – und Pools auf einer Fläche von über 1000 m^2 sorgen für ganztägigen Spaß. Wenn die Kinder alt genug sind, um alleine zu toben, können Mama und Papa derweil in der Wellnessabteilung relaxen. Vorsicht: Weil man ständig im Wasser ist, unterschätzt man leicht die Wirkung der Sonne! *Mai–Okt. tgl. 9–23 Uhr | Eintritt 10, Kinder (ab 7 Jahre) 5 Euro | Deniz Caddesi | Kemer | Tel. 0242 8 14 58 23*

HÖHLENTOUR

Für nicht so kleine Kinder empfiehlt sich eine Höhlentour rund um Antalya. Im Kalksteingebirge der Taurusberge gibt es ca. 500 Höhlen. Nicht alle sind für Besucher zugänglich. Die größte und interessanteste ist die *Karain-Höhle* (128 B5) *(ᗡ J5)* an der Straße nach Burdur (27 km nordwestlich von Antalya). Sie wurde im Ersten Weltkrieg von dem Italiener Guiseppe Moretti entdeckt. Spuren menschlicher Existenz gehen hier 50 000 Jahre zurück. Die bei den Ausgrabungen seit 1946 gefundenen Stücke, u. a. Speerspitzen und Skelettteile, werden im örtlichen Museum ausgestellt. Auch in der *Beldibi-Höhle* (127 E4) *(ᗡ J6)*, ca. 30 km südwestlich von Antalya, gibt es Spuren unserer Ahnen aus paläolithischer Zeit, u. a. Wandbilder. In die *Damlataş-Höhle* (131 D4) *(ᗡ N6)* bei Alanya sollen im Zweiten Weltkrieg deutsche Soldaten vor Gasangriffen geflüchtet sein. Nachdem der Aufenthalt Asthmatikern unter ihnen gut tat, wurde die Höhle zu einer Kurstätte für Menschen mit Atemnot. *Bis auf die Damlataş-Höhle nur mit dem Mietwagen zu erreichen | www.lochstein.de (Höhlengebiete: Türkische Riviera) | www.tuerkei-ferien.de*

PARK BOWLING (128 B6) *(ᗡ K6)*

Für Jugendliche, die sich langweilen: Eine der schönsten und größten Bowlingbah-

nen der ganzen Türkei gibt es in Antalya, unweit des Lara-Strandes – 1500 m^2 groß und mit zehn Bahnen. Außerdem stehen hier noch ca. 60 elektronische Spielkonsolen und neun Billardtische bereit. *Tgl. 10–23 Uhr | Şirinyalı Mahallesi | im UG des Park Hotels | Antalya | Tel. 0242 3 16 44 09 10 | www.depark.com.tr*

PIRATENBURG ALANYA
(131 D4) *(ᗡ N6–7)*

Der Burgberg von Alanya ist ein spannendes Ausflugsziel vor allem für etwas größere Kinder. Wer den Aufstieg zur Burg geschafft hat, kann hier aufregende Klettertouren über das alte Gemäuer unternehmen. *Tgl. 8–19 Uhr | Eintritt 5 Euro | www.alanya-tuerkei.de/alanya_burg.htm*

Beim Schnorcheln gibt es viel zu entdecken

EVENTS, FESTE & MEHR

Während in den touristischen Hochburgen wie Marmaris, Fethiye oder Antalya im Sommer und Herbst große Kultur- und Musikfestivals stattfinden, lädt das Hinterland zu traditionellen Treffen ein: Erntedankfeste, Stier- und Kamelkämpfe oder einfach nur Tanz und Musik. Für Musik- und Ballettliebhaber wird eine Vorstellung im antiken Theater von Aspendos zum Erlebnis. Sportfreunde genießen in Marmaris die Yachtregatten oder die Schau der Paraglider in Fethiye.

FEIERTAGE

1. Jan. *Yılbaşı* (Neujahr); **23. April** *Ulusal Egemenlik ve Çocuk Bayramı* (Fest der Nationalen Souveränität und der Kinder); **1. Mai** *Birlik ve Dayanışma Günü* (Tag der Einheit und Solidarität); **19. Mai** *Gençlik ve Spor Bayramı* (Tag der Jugend und des Sports); **30. Aug.** *Zafer Bayramı* (Siegesfeiern zum Ende des Unabhängigkeitskrieges 1922); **29. Okt.** *Cumhuriyet Bayramı* (Gründungstag der Türkischen Republik 1923)

RELIGIÖSE FEIERTAGE

Nach dem islamischen Mondkalender verschieben sich religiöse Feste jedes Jahr um 11 Tage nach vorn: **4.–7. Okt. 2014/24.–27. Sept. 2015** *Kurban Bayramı* (Opferfest), das höchste islamische Fest, dauert vier Tage; **28. Juni 2014/18. Juni 2015** Beginn des Fastenmonats *Ramadan;* **28.–30. Juli 2014/17.–19. Juli 2015** 3-tägiges Zuckerfest zum Ende des Ramadan

FESTE & VERANSTALTUNGEN

JANUAR

▶ *Kamelkämpfe:* In Kale bei Kaş versuchen geschmückte Kamele, sich gegenseitig in die Knie zu zwingen

APRIL

▶ *Ostermessen* in Antakya
▶ *Drachenfest:* Zum türkischen Kinderfest am 23./24. steigen auf der Datça-Halbinsel bunte Drachen auf

MAI

▶ *Regatten* plus Beiprogramm in Marmaris. *www.miyc.org*

JUNI

▶ ★ *Aspendos Opern- und Balettfestival:* Kulturfest im antiken Theater von Aspendos. Internationale und türkische Ensembles lassen die grandiose römi-

Ob Sommerfestival für Touristen oder traditionelles Fest: Hier wird das ganze Jahr über gefeiert

sche Kulisse wieder aufleben. *www.aspendosfestival.gov.tr*

► INSIDER TIPP *Messe in der Petrus-Grotte:* große Messe in der Apostelkirche St. Peter in Antakya am 29. *www.anadolukatolikkilisesi.org*

JULI
► *Caretta-Caretta-Festival:* Musik- und Kulturfest zu Ehren der Meeresschildkröte in Dalyan (1.–3.). *www.dalyancity.com*
► *Manavgat Kulturfestival:* Konzerte und Tanz bei den Wasserfällen, am Strand und in der Stadt (23.–27.)

AUGUST
► *Mandelernte:* Erntefest auf der Halbinsel Datça (18.–21.)
► *Ringkämpfe von Karakucak:* in Adana, auf der Kızıldağ-Alm auf den Taurusbergen, am letzten So im Aug.

SEPTEMBER
► *Theater und Konzerte* vor dem Apollo-Tempel in Side, 2 Wochen ab Mitte Sept.

► *Internationales Tango-Festival* in Marmaris (16.–21.)

OKTOBER
► *Filmfestival Goldene Apfelsine:* Filmfest in Antalya mit neuesten internationalen und türkischen Filmen. *www.altinportakal.org.tr*
Dreitägige ► *Regatta* der Holzyachten des Typs *Gulet* von Bodrum nach Marmaris (ab 24.)
► INSIDER TIPP *Paragliding-Festival*: Am Babadağ in Ölüdeniz/Fethiye lassen sich Glider aus aller Welt 5 Tage lang auf den Strand oder ins Meer gleiten (ab 18.). *www.fethiyedays.com*

DEZEMBER
Der Weihnachtsmann kommt am 5./6. in Kale/Myra vorbei und nimmt an den ökumenischen ► *Gottesdiensten* in der Sankt-Nikolaus-Kirche teil. ► *Weihnachtsmessen* in den Kirchen von Antakya, vor allem in der Apostelkirche St. Peter. *www.auslandsseelsorge.de*

LINKS, BLOGS, APPS & MORE

LINKS

▶ www.hotelguide.com.tr Das Hotelportal der Türkei schlechthin bietet eine detaillierte Suchmaske und viele Infos über die Angebote in der Region.

▶ www.ayt.at Die Seite beinhaltet neben Infos und Fotos einen Online-Stadtplan der Stadt Antalya mit ca. 700 Bus- und Dolmuş-Haltestellen, u. a. der Strecke zum Flughafen. Bei jeder Haltestelle ist aufgeführt, von welchen Bussen bzw. Minibussen sie angefahren wird

▶ kircheinalanya.blogspot.com Informationen, Nachrichten, Berichte und Predigten aus der christlichen Gemeinde deutscher Sprache in Alanya

▶ www.alanyabote.com Berichte und Nachrichten der vierzehntägig erscheinenden deutschen Zeitung aus Alanya

▶ www.deutsch-tuerkische-nachrichten.de Die informative Internetzeitung des Forums für Interkulturellen Dialog e. V.

▶ www.dainst.org Die İstanbul-Abteilung des Deutschen Archäologischen Instituts stellt aktuelle Projekte vor und informiert mit Publikationen über ihre fortlaufenden Ausgrabungen in Anatolien

▶ www.welt-der-antike.de Geschichten und Informationen zur Welt der Antike bis nach Antakya (auch in Kleinasien)

▶ www.marcopolo.de/tuerkei-suedkueste Alles auf einen Blick zu Ihrem Reiseziel: interaktive Karten inkl. Planungsfunktion, Impressionen aus der Community, aktuelle News und Angebote

BLOGS & FOREN

▶ www.turkish-talk.com Das Deutsch-Türkische Forum hat viele interessierte User und bietet eine Fläche für den Austausch

▶ tuerkeireisen.twoday.net Ein informativer Blog über die Türkeireisen und längeren Riviera-Aufenthalte eines deutschen Urlaubers

Egal, ob Sie sich vorbereiten auf Ihre Reise oder vor Ort sind: Mit diesen Adressen finden Sie noch mehr Informationen, Videos und Netzwerke, die Ihren Urlaub bereichern.

▶ www.peterlill.de Der Wanderer Peter Lill hat sich auf den Lykischen Wanderweg begeben und auf seiner Homepage wertvolle Hinweise zusammengestellt

▶ www.wasi-online.de Auch der Nürnberger Rainer Wasilewski beschreibt seine Wanderung auf dem Lykischen Weg (mit GPS-Daten zum Herunterladen und Fotos)

▶ www.alanyahome.com Hier treffen sich Alanyafans, Urlauber, Auswanderer, Langzeiturlauber und alle, die an Alanya interessiert sind.

VIDEOS

▶ www.segel-filme.de Segler laden hier ihre Videos, auch über die türkische Riviera, hoch

▶ wn.com/hiddendatca Vier kurze Filme über Datça, den alten Ortskern und die Ausgrabungen in Knidos über mehrere Jahre

▶ www.cirali.org/de Das Webportal mit nützlichen Informationen und Adressen in Çıralı/Olympos bietet auch einen sehr netten Film über „Die Meeresschildkröten und die Touristen" (auf Engl.)

APPS

▶ Turkey's Mediterranean Coast Englischsprachiges App mit Reiseinfos: Karten, Planung, Sicherheit, Gesundheit, Adressen

▶ Cruising the Mediterranean App (engl.) für Kreuzfahrer und Segler. Infos über alle Kreuzfahrtschiffe, die im Mittelmeer unterwegs sind, über Segelrouten, Häfen und deren Infrastruktur sowie zu Ausflügen an Land

NETWORK

▶ www.tripwolf.com Reisetips, Fotos, Blogs und Bewertungen von Usern. Hintergrundberichte und die Möglichkeit, Unterkünfte und Aktivitäten zu buchen

▶ www.lonelyplanet.com/thorntree Forum nicht nur für touristische Reisen, sondern auch für Work & Travel. Posten Sie Ihre eigenen Bewertungen, Fotos und Berichte

PRAKTISCHE HINWEISE

ANREISE

✈ Die meisten Urlauber kommen mit dem Flugzeug. Mit Turkish Airlines (www.turkishairlines.com) erreichen Sie direkt oder mit Umsteigen in Istanbul jeden Flughafen der Türkei. Charterflüge gibt's ganzjährig nach İstanbul, İzmir und Antalya. In der Saison können Sie direkt nach Dalaman oder Bodrum, seit 2013 auch nach Alanya (www.gzpairport.com) fliegen. Linienflüge kosten 400–500 Euro, Charter je nach Saison ab 120 Euro.

🚗 Für eine Fahrt mit dem Auto erkundigen Sie sich vorher beim ADAC (www.adac.com). Seit Ende der Balkankriege kann man die Strecke über Kroatien und Serbien zwar wieder benutzen, es kann aber sinnvoller sein, über Ungarn und Rumänien zu fahren. Von Frankfurt bis İstanbul sind es rund 2000 km.

🚌 Die Fahrt mit dem Reisebus wird fast von allen großen deutschen Städten angeboten. Es ist meist die preisgünstigste Variante, in die Türkei zu kommen, bei einer Reisedauer von 50–60 Stunden aber auch sehr anstrengend.

🚆 Mit der Bahn reisen Sie via Wien nach İstanbul. Diese Fahrt dauert aber mehr als 40 Stunden und kostet mehr als ein Charterflug. www.fahrplan-online.de

🚢 Angenehmer ist die Fahrt mit dem Schiff von Venedig oder Brindisi aus. Die Fahrt Venedig–İzmir dauert 2½ Tage und kostet mit dem Auto ca. 400, von Brindisi (1½ Tage) 300 Euro. www.ankertravel.com | www.feribot.net

AUSKUNFT

TÜRKISCHES FREMDENVERKEHRS- UND INFORMATIONSAMT
– Deutschland (Baseler Str. 37 | 60329 Frankfurt/M. | Tel. 069 23 30 81 oder 069 23 30 82 | www.tcberlinbe.de)
– Österreich (Singer Str. 2 | 1010 Wien | Tel. 01 5 12 21 28 oder 01 5 12 21 29 | www.turkinfo.at)
– Schweiz (Talstr. 74 | 8001 Zürich | Tel. 01 2 21 08 10 | www.tuerkei-info.ch)

AUTO

Für die Einreise mit dem Auto benötigen Sie Ihren nationalen Führerschein, den

GRÜN & FAIR REISEN

Auf Reisen können auch Sie mit einfachen Mitteln viel bewirken. Behalten Sie nicht nur die CO_2-Bilanz für Hin- und Rückflug im Hinterkopf (www.atmosfair.de), sondern achten und schützen Sie auch nachhaltig Natur und Kultur im Reiseland (www.gate-tourismus.de; www.zukunft-reisen.de; www.ecotrans.de). Gerade als Tourist ist es wichtig, auf Aspekte zu achten wie Naturschutz (www.nabu.de; www.wwf.de), regionale Produkte, Fahrradfahren (statt Autofahren), Wassersparen und vieles mehr. Wenn Sie mehr über ökologischen Tourismus erfahren wollen: europaweit www.oete.de; weltweit www.germanwatch.org

Von Anreise bis Zoll

Urlaub von Anfang bis Ende: die wichtigsten Adressen und Informationen für Ihre Reise an die Türkische Südküste

Fahrzeugschein und eine grüne Versicherungskarte. Bei der Einreise wird das Auto im Pass eingetragen – Sie müssen bei der Ausreise darauf achten, dass es auch wieder ausgetragen wird. Höchstgeschwindigkeit: in Ortschaften 50, außerhalb 90, auf Autobahnen 120 km/h. Es besteht Gurtpflicht und ein absolutes (!) Alkoholverbot. Informationen und Karten beim Türkischen Touring- und Automobilclub *TTOK İstanbul (Tel. 0212 2 82 81 40)*.

BANKEN & GELDWECHSEL

Öffnungszeiten der Banken: 9–12 und 13–17 Uhr. Bankfilialen mit dem Schild *Öğlen Açık* machen keine Mittagspause, Bankfilialen in Einkaufszentren haben länger auf. Fast alle Banken haben Geldautomaten, an denen Sie mit Ihrer EC- oder Kreditkarte rund um die Uhr Geld ziehen können; in Urlaubsorten geben viele Automaten auch Euro aus. Achtung: Einzelne deutsche Banken haben ihre EC-Karten aus Sicherheitsgründen für den Einsatz außerhalb der Eurozone gesperrt; erkundigen Sie sich vorher bei Ihrem Geldinstitut! Wenn Sie Bargeld tauschen wollen, gehen Sie zu einem Devisenbüro *(Döviz bürosu)*; dort bekommen Sie einen besseren Kurs als bei der Bank. Tauschen Sie kein Geld im Heimatland, der Kurs ist immer schlechter als in der Türkei. In Großstädten und an der Küste werden fast überall Euros angenommen.

BUS

Das übliche Reisegefährt in der Türkei ist immer noch der Reisebus. Jede Stadt hat ihr Busterminal *(garaj* bzw. *otogar)*, und Busse fahren praktisch in jeden Winkel des Landes. Um das Unfallrisiko zu minimieren, empfiehlt es sich, renommierte Busunternehmen wie *Ulusoy (www.ulusoy.com.tr)* oder *Varan (www.varan.com.tr)* zu wählen. Vom Busbahnhof aus

WAS KOSTET WIE VIEL?

Kaffee	1,50 Euro
	für eine Tasse Nescafé
Imbiss	1,75 Euro
	für einen Döner
Strandmöbel	6 Euro
	zwei Liegen plus Schirm
Bier	2,50 Euro
	für eine Flasche im Restaurant
Benzin	1,50 Euro
	für einen Liter Super
Hamam	25 Euro
	für einen Besuch

verkehren auch Minibusse zu den Zielen in der Umgebung.

CAMPING

Die schönsten Campingplätze der Türkei sind die staatlich betriebenen so genannten „Waldlager" *(Orman Kampı)*, die dem Forstministerium unterstellt sind und in der Regel auch in einem Schatten spendenden Wäldchen liegen. Sie verfügen über eine gute Infrastruktur, u. a. über Telefon, Kiosk und Laden, Kochstelle, Waschküche, Duschen mit Warmwasser und eine Abwassergrube für Wohnmobile. *www.camping.info*

GÖKOVA ORMAN KAMPI
(125 D4) (*ɯ* D5)
In schöner Bucht am Dorf Akyaka; schattig. Platz für 300 Zelte und 70 Wohnwagen. *Akyaka Köyü | Akyaka | Tel. 0252 2 46 50 35 | Juni–Aug.*

KATRANCI ORMAN KAMPI
(125 E6) (*ɯ* F6)
Schöne Anlage unter Bäumen, 10 km von Fethiye am Meer gelegen. *Fethiye-Muğla Yolu | Katrancı | Tel. 0252 4 63 64 06 | Juni–Okt.*

KINDILÇEŞME ORMAN KAMPI
(127 E5) (*ɯ* J7)
Im Nationalpark Beydağları am Olympos-Strand, schattig. *Beydağları (Olympos) Milli Parkı | Kemer | Tel. 0242 8 14 10 75 | Jan. geschl.*

DIPLOMATISCHE VERTRETUNGEN

DEUTSCHES GENERALKONSULAT AUSSENSTELLE ANTALYA
(127 E–F3) (*ɯ* K5–6)
Yeşilbahçe Mahallesi | 1447 Sokak | B. Gürkanlar Apt., 5. Stock | Tel. 0242 3 14 11 01 oder 0242 3 14 11 02 | www. antalya.diplo.de

HONORARKONSUL ADANA
(134 C3) (*ɯ* X5)
Paksoy A. Ş. | Karataş Yolu 184 | Tel. 0322 3 11 98 30

ÖSTERREICHISCHE BOTSCHAFT
Atatürk Bulvarı 189 | Kavaklıdere | 06540 Ankara | Tel. 0312 4 19 04 31 | ankara-ob@ bmeia.gv.at

SCHWEIZER BOTSCHAFT
Atatürk Bulvarı 247 | Kavaklıdere | 06680 Ankara | Tel. 0312 4 57 31 00 | www.eda. admin.ch/turkey

DOLMUŞ

Preiswert – nur etwa ein Drittel des Taxipreises – sind Fahrten mit dem Sammeltaxi (gesprochen: Dolmusch). Die Kleinbusse oder Großraumtaxen fahren bestimmte Strecken in der Stadt oder ins Umland und halten auf Zuruf an jeder gewünschten Stelle. Sagen Sie, wo Sie hinwollen, und lassen Sie sich dann den Preis nennen.

EINREISE

Deutsche und Schweizer brauchen für einen Aufenthalt von unter drei Monaten Dauer nur den Reisepass oder Personalausweis. Den Einreiseschein mit dem Stempel müssen Sie aufheben! Österreicher müssen bei der Einreise ein Visum erwerben.

FOTOGRAFIEREN

Das Ablichten von Militär oder militärischen Einrichtungen ist prinzipiell verboten. Verschleierte Frauen sollten Sie nicht fotografieren und auch in konservativen Vierteln die Kamera lieber in der Tasche lassen. Ansonsten lassen sich die meisten Menschen gern porträtieren.

WÄHRUNGSRECHNER

€	TRY	TRY	€
1	2,70	1	0,37
2	5,40	2	0,74
3	8,10	3	1,11
4	10,80	5	1,85
5	13,50	7	2,59
7	18,90	10	3,70
8	21,60	15	5,55
9	24,30	25	9,25
10	26,90	50	18,50

GESUNDHEIT

Das Leitungswasser in der Türkei – vor allem in den Großstädten – eignet sich nicht zum Trinken. Nehmen Sie sich immer eine Flasche Mineralwasser mit aufs Hotelzimmer. In staatlichen Krankenhäusern (SSK) und Gesundheitsstationen *(sağlık ocağı)* werden Sie mit einem für die Türkei ausgestellten Auslandskrankenschein kostenlos behandelt. Einfacher und deshalb empfehlenswert ist es jedoch, eine zusätzliche Reiseversicherung abzuschließen. Privatkliniken sind meist besser ausgestattet, allerdings werden die Rechnungen in Deutschland nur sehr eingeschränkt erstattet. In Apotheken *(eczane)* erhalten Sie viele gängige Arzneimittel preiswerter als in Deutschland.

Deutschsprachige Ärzte in Antalya:
– Allgemein: *Allgemeinarzt: Prof. Dr. Hakan Yaman (Uniklinik | Dumlupınar Bulvarı | Kampüs/Antalya | Tel. 0242 2 49 60 00 | Handy 0536 3 20 99 33 | hakanyaman@akdeniz.edu.tr)*
– Augen: *Augenarzt: Dr. Naciye Melikoğlu (100. Yıl Bulvarı 26 | Tel. 0242 2 47 97 17 | Handy 0532 6 18 17 18)*
– HNO: *HNO-Arzt: Dr. Cabir Ertuğ (Güzeloba Mahallesi | Havaalanı Caddesi, Sevinç Sokak 9 | Muratpaşa/Antalya | Tel. 0242 3 49 40 40 | Handy 0532 3 13 06 90)*
– Kinderarzt: *Kinderarzt: Dr. Mürüvet Kıvran (Güllük Caddesi 52/1 | Tel. 0242 2 42 98 49 | Handy 0532 5 59 08 68)*

INTERNET

Fast alle Hotels haben ADSL und WLAN kostenlos auf den Zimmern, zumindest aber in der Lobby. Auch zahlreiche Cafés und Restaurants bieten WLAN (Fragen Sie nach dem Passwort). Im Internet gibt es viele informative Websites *(siehe auch S. 108/109):*

www.auswaertiges-amt.de/diplo/de/Laender/Tuerkei.html – Das Auswärtige Amt Berlin informiert über den letzten Stand im Reiseland
www.kulturturizm.gov.tr – Infoseite des Kultur- und Tourismusministeriums der Türkei, auch in Deutsch
www.ratgeber-tuerkei.de – Landeskunde von A bis Z
www.in-die-tuerkei.de – Reisetipps und Informationen rund um Ihre Türkei-Reise
www.hotelinfo-tuerkei-de – über 1000 Hotels mit Buchungsmöglichkeit und Last-Minute-Angeboten
www.atr-zeitung.com – „Aktuelle Türkei Rundschau": deutsche Wochenzeitung mit Infos und Adressen
www.tuerkei-zeitung.de/AktuelleAusgabe.htm – „Prima Türkei": 14-tägiges deutsches Anzeigenblatt für die türkische Riviera

INTERNETCAFÉS

Internetcafés gibt's in jeder Stadt der Türkei. Eine Stunde surfen kostet 1 bis 2,50 Euro.
– *Antalya: Greenpoint Internetcafé (Güllük Caddesi Çankaya 2 | Kat 2/5 | Tel. 0242 2 44 49 84 | greenpoint@aidata.com.tr); Nexus Internet Café (Atatürk Caddesi, Akbaba Pasaj 79/4 | Tel. 0242 2 44 35 76 | nexus07@yahoo.com)*
– *Fethiye: Line Café (Cumhuriyet Mahallesi | Yalı Sokak 5B | Tel. 0252 6 12 71 55 | linecafe@hotmail.com)*
– *Kaş: Bougainville Travel Internet Corner (Çukurbağlı Caddesi | Tel. 0242 8 36 37 37 | info@bougainville-turkey.com)*
– *Marmaris: Marmaris Internet Café (Köylü Pazarı Karşısı | Yat Limanı | am Yachthafen | Tel. 0252 4 13 72 37 | cafe@marmariscafe.com.tr)*
– *Side: Side Internet Center (Leylak City, beim Hotel Köseoğlu | Tel. 0242 7 53 23 98 | cafe@sideinternet.com)*

KLIMA & REISEZEIT

Die Hochsaison an der Küste dauert von Anfang Mai bis Ende Oktober, man kann aber auch im Nov./Dez. meist noch gut baden. Im Juli/Aug. ist es sehr heiß. Im Winter gibt es an der gesamten Küste manchmal sintflutartige Regenfälle.

MIETWAGEN

Ein Mietwagen kostet ab 25–30 Euro (inkl. Vollkasko und Kilometer) pro Tag. Es ist oft bequemer, ein Auto bereits in Deutschland zu buchen. Rent-a-Car in Antalya: *AVIS (Tel. 0242 2 41 66 93 | www.avis.com.tr); Budget (Tel. 0242 2 43 30 06 | www.trbudget.com)*. Überall gibt es jedoch örtliche Rent-a-Car-Firmen mit günstigen Angeboten. Man nimmt den Wagen mit leerem Tank entgegen und kann ihn dann auch ebenso wieder abgeben.

NOTRUF

Polizei: Tel. 155, *Feuerwehr*: Tel. 110, *Notarzt*: Tel. 112, Jandarma (Gendarmerie auf dem Land): *Tel. 156*

POST

Post heißt PTT, und die Poststellen sind in der Regel wochentags 8–17 Uhr ge-

WETTER IN ANTALYA

	Jan.	Feb.	März	April	Mai	Juni	Juli	Aug.	Sept.	Okt.	Nov.	Dez.
Tagestemperaturen in °C	15	16	18	21	25	30	34	34	31	26	21	17
Nachttemperaturen in °C	6	7	8	11	15	19	23	23	19	15	11	8
Sonnenschein Stunden/Tag	5	5	7	8	10	12	12	12	10	8	7	5
Niederschlag Tage/Monat	11	9	6	4	3	1	0	0	1	4	5	11
Wassertemperaturen in °C	16	16	16	17	20	23	25	27	26	23	20	18

öffnet. Hauptpostämter haben aber oft bis in die Nacht auf. Brief bzw. Postkarte: ca. 60 Cent.

STROM

Netzspannung ist 220 Volt Wechselstrom, für Ihre Stecker brauchen Sie keinen Adapter. In entlegenen Orten müssen Sie hin und wieder mit Stromausfällen rechnen. Taschen- und Leselampen sind nützlich. Ladegeräte für die gängigen Handymarken sind überall erhältlich.

TAXI

Taxi fahren ist relativ preiswert. Bestehen Sie darauf, dass das Taxameter eingeschaltet ist. Tagsüber erscheint *gündüz*, nach 24 Uhr *gece;* der Nachttarif (bis 6 Uhr) ist mancherorts um 50 Prozent teurer. In Kleinstädten gilt ein höherer Grundpreis als in Großstädten. In manchen Städten nehmen Taxifahrer gesetzlich 50 Prozent mehr, wenn sie zum Flughafen hinausfahren.

TELEFON & HANDY

Für die türkisfarbenen Telefonzellen der *Türk Telekom* braucht man Telefonkarten, die an Postämtern und Kiosken erhältlich sind. Mit der *TT Kart* (zu 5, 10 oder 25 Lira) telefoniert man wesentlich billiger ins Ausland.
Vorwahl für Deutschland *0049;* für Österreich *0043;* für die Schweiz *0041;* für die Türkei *0090.*
Handys sind in der Türkei sehr gebräuchlich; das Handynetz ist gut ausgebaut. Deutsche Handys funktionieren über Roaming-Abkommen meist problemlos; es ist aber immer noch sehr teuer, sie zu benutzen. Auch wenn Sie angerufen werden, zahlen Sie den halben Preis selbst.

Erkundigen Sie sich zu Hause nach den besten Tarifpaketen.

TRINKGELD

In Hotels und Restaurants sind Trinkgelder (ca. 10 Prozent) üblich und werden auch erwartet, bei Taxifahrten dagegen nicht.

WÄHRUNG

Die Währungseinheit ist die Türkische Lira (TL). Es gibt 200-, 100-, 50-, 20-, 10- und 5-Lira-Scheine sowie Münzen zu 1 Lira sowie 50, 25, 10 und 5 Kurusch. Eine Lira entspricht zzt. knapp 40 Cent.

ZEIT

Die Türkei ist Mitteleuropa 1 Std. voraus. Das gilt auch für die Sommerzeit, die in der Türkei zeitgleich gilt.

ZOLL

Ausländische und türkische Währung darf unbegrenzt eingeführt werden. Für Teppiche oder andere Wertgegenstände, die Sie in der Türkei erworben haben, müssen Sie eine Quittung zeigen. Vorsicht mit echten Antiquitäten: Stücke die älter als 100 Jahre sind, dürfen generell nicht ausgeführt werden! Die Ausfuhr antiker Steine oder anderer Altertümer ist streng verboten. Das gilt auch für Fossilien. Selbst Stücke, die Sie für relativ wenig Geld bei einem Straßenhändler erworben haben, können Probleme machen. Aktuelle Info: *www.zoll.de*.
Bei der Wiedereinreise in EU-Staaten dürfen Waren im Wert von 430 Euro (bei Flugreisen) sowie u. a. 200 Zigaretten, 1 l Spirituosen und 2 l Wein zollfrei eingeführt werden. Für die Schweiz gelten andere Bestimmungen.

SPRACHFÜHRER TÜRKISCH

AUSSPRACHE

ı	nur angedeutetes „e" wie in „bitten, danken", Bsp.: ırmak
c	wie in „Ingenieur", Bsp.: cam
ç	wie in „Tscheche, deutsch", Bsp.: çan
h	wie in „Bach, noch", Bsp.: hamam
ğ	„Dehnungs-g", wird nicht ausgesprochen. Entspricht deutschem „Dehnungs-h" in „Zahn", Bsp.: yağmur
j	wie in „Garage, Loge", Bsp.: jilet
ş	wie in „schön, Tisch", Bsp.: şeker
v	wie in „Wasser, Violine", Bsp.: vermek
y	wie in „jeder", Bsp.: yok
z	wie in „lesen, reisen", Bsp.: deniz

AUF EINEN BLICK

ja/nein/vielleicht	evet/hayır/belki
Bitte./Danke.	Lütfen./Teşekkür. (ederim) oder Mersi.
Entschuldige!/Entschuldigen Sie!	Afedersin!/Afedersiniz!
Ich möchte .../Haben Sie ...?	... istiyorum/... var mı?
Wie viel kostet ...?	... ne kadar? Fiyatı ne?
Das gefällt mir (nicht).	Beğendim./Beğenmedim.
gut/schlecht	iyi/kötü
kaputt/funktioniert nicht	bozuk/çalışmıyor
zu viel/viel/wenig	çok fazla/çok/az
alles/nichts	hepsi/hiç
Hilfe!/Achtung!/Vorsicht!	İmdat!/Dikkat!/Aman!
Krankenwagen/Polizei/Feuerwehr	ambulans/polis/itfaiye

BEGRÜSSUNG & ABSCHIED

Gute(n) Morgen!/Tag!/	Günaydın!/İyi Günler!/
Abend!/Nacht!	İyi Akşamlar!/İyi Geceler!
Hallo!/Auf Wiedersehen!	Merhaba!/Allaha ısmarladık!
Tschüss!	Hoşçakal (Plural: Hoşçakalın)/Bye bye!
Ich heiße ...	Adım ... oder İsmim ...
Wie heißen Sie?	Sizin adınız ne?/Sizin isminiz ne?
Wie heißt Du?	Senin adın ne?/Senin ismin ne?
Ich komme aus ...	... den/dan geliyorum.

Türkçe biliyor musun?

**„Sprichst du Türkisch?" Dieser Sprachführer hilft Ihnen,
die wichtigsten Wörter und Sätze auf Türkisch zu sagen**

DATUMS- & ZEITANGABEN

Montag/Dienstag/Mittwoch	Pazartesi/Salı/Çarşamba
Donnerstag/Freitag/Samstag	Perşembe/Cuma/Cumartesi
Sonntag/Werktag	Pazar/İş günü
Feiertag	Tatil Günü/Bayram
heute/morgen/gestern	bugün/yarın/dün
Stunde/Minute	saat/dakika
Tag/Nacht/Woche	gün/gece/hafta
Monat/Jahr	ay/yıl

UNTERWEGS

offen/geschlossen	açık/kapalı
Eingang/Einfahrt	giriş/garaj kapısı
Ausgang/Ausfahrt	çıkış/garaj çıkışı
Abfahrt (Abflug)/Ankunft	kalkış/varış
Toiletten/Damen/Herren	tuvalet (WC)/bayan/bay
(kein) Trinkwasser	içme suyu (değil)
Wo ist ...? /Wo sind ...?	Nerede ...?/neredeler ...?
links/rechts	sol/sağ
geradeaus/zurück	ileri/geri
nah/weit	yakın/uzak
Bus/Straßenbahn/U-Bahn/Taxi	otobüs/tramvay/metro/taksi
Haltestelle/Taxistand	durak/taksi durağı
Stadtplan/(Land-)Karte	şehir krokisi/harita
Bahnhof/Hafen	istasyon/liman
Flughafen	havaalanı
Fahrplan/Fahrschein	tarife/bilet
einfach/hin und zurück	tek gidiş/gidiş dönüş
Ich möchte ein Auto mieten.	bir otomobil/araba kiralamak istiyorum.
Tankstelle	benzin istasyonu
Benzin/Diesel/bleifrei	benzin/dizel/kurşunsuz
Panne/Werkstatt	arıza/tamirhane

ESSEN & TRINKEN

Reservieren Sie uns bitte für heute Abend einen Tisch für vier Personen.	Lütfen bize bu akşama dört kişilik bir masa ayırın.
auf der Terrasse/am Fenster	terasta/pencere kenarında
Die Speisekarte, bitte.	Menü lütfen.
Könnte ich bitte ... haben?	... alabilir miyim lütfen?

Flasche/Karaffe/Glas	şişe/karaf/bardak
Messer/Gabel/Löffel	bıçak/çatal/kaşık
Salz/Pfeffer/Zucker	tuz/karabiber/şeker
Essig/Öl	sirke/zeytinyağı
Milch/Sahne/Zitrone	süt/kaymak/limon
kalt/versalzen/nicht gar	soğuk/fazla tuzlu/pişmemiş
mit/ohne Eis	buzlu/buzsuz
Wasser ohne/mit Kohlensäure	su/soda
Vegetarier(in)/Allergie	vejetaryan/alerji
Ich möchte zahlen, bitte.	Hesap lütfen.
Rechnung/Quittung/Trinkgeld	fatura/fiş/bahşiş

EINKAUFEN

Wo finde ich ...?	... nerede bulurum?
Ich möchte .../Ich suche ...	... istiyorum./... arıyorum.
Brennen Sie Fotos auf CD?	CD'ye fotoğraf basıyor musnuz?
Apotheke/Drogerie	eczane/parfümeri
Bäckerei/Markt	fırın/pazar
Einkaufszentrum/Kaufhaus	alışveriş merkezi/bonmarşe
Lebensmittelgeschäft	gıda marketi/bakkal
Supermarkt	süpermarket
Kiosk	büfe/bayii
100 Gramm/1 Kilo	yüz gram/bir kilo
teuer/billig/Preis	pahalı/ucuz/fiyat
mehr/weniger	daha çok/daha az

ÜBERNACHTEN

Ich habe ein Zimmer reserviert.	Bir oda rezervasyonum var.
Haben Sie noch ...?	Daha ... var mı?
Einzelzimmer/Doppelzimmer	tek kişilik oda/çift kişilik oda
Frühstück/Halbpension	kahvaltı/yarım pansiyon
Vollpension	tam pansiyon
nach vorne/zum Meer	ön tarafta/denize bakan
Dusche/Bad	duş/banyo
Balkon/Terrasse	balkon/teras
Schlüssel/Zimmerkarte	anahtar/oda kartı
Gepäck/Koffer/Tasche	bagaj/bavul/çanta

BANKEN & GELD

Bank/Geldautomat	banka/ATM
Geheimzahl (PIN)	şifre
Ich möchte ... Euro wechseln.	... avro bozduracağım.
bar/ec-Karte/Kreditkarte	nakit/banka kartı/kredi kartı

SPRACHFÜHRER

Banknote/Münze	banknot/demir para
Wechselgeld	bozuk para

GESUNDHEIT

Arzt/Zahnarzt/Kinderarzt	doktor/diş doktoru/çocuk doktoru
Krankenhaus/Notfallpraxis	hastane/acil doktor
Fieber/Schmerzen/Durchfall/Übelkeit	ateş/ağrı/ishal/bulantı
Sonnenbrand	güneş yanığı
entzündet/verletzt	iltihaplı/yaralı
Pflaster/Verband	yara bandı/gazlı bez
Salbe/Creme	merhem/krem
Schmerzmittel/Tablette	ağrı kesici/hap

TELEKOMMUNIKATION & MEDIEN

Briefmarke/Brief/Postkarte	posta pulu/mektup/kartpostal
Ich brauche eine Telefonkarte.	Bir telefon kartı lazım.
fürs Festnetz	sabit hatlar için
Ich suche eine Prepaidkarte für mein Handy.	Bir hazırkart lazım cep telefonum için.
Wo finde ich einen Internetzugang?	İnternete nereden girebilirim?
Brauche ich eine spezielle Vorwahl?	Özel bir ön numara gerekiyor mu?
wählen/Verbindung/besetzt	çevirmek/hat/meşgul
Steckdose/Adapter/Ladegerät	priz/adaptör/şarj aleti
Computer/Batterie/Akku	bilgisayar/pil/akü
Internetanschluss/WLAN	internet bağlantısı/wireless
E-Mail/Datei/ausdrucken	(e-)mail (e-posta)/dosya/basmak

ZAHLEN

0	sıfır	15	on beş
1	bir	16	on altı
2	iki	17	on yedi
3	üç	18	on sekiz
4	dört	19	on dokuz
5	beş	20	yirmi
6	altı	21	yirmi bir
7	yedi	50	elli
8	sekiz	100	yüz
9	dokuz	200	iki yüz
10	on	1000	bin
11	onbir	2000	iki bin
12	oniki	10000	on bin
13	on üç	½	yarım
14	on dört	¼	çeyrek

EIGENE NOTIZEN

MARCO ⊕ POLO

Unser Urlaub

REISEATLAS

Die grüne Linie ▬▬▬ zeichnet den Verlauf der Ausflüge & Touren nach
Die blaue Linie ▬▬▬ zeichnet den Verlauf der Perfekten Route nach

Der Gesamtverlauf aller Touren ist auch in der
herausnehmbaren Faltkarte eingetragen

122 Bild: Seldschukische Brücke bei Aspendos

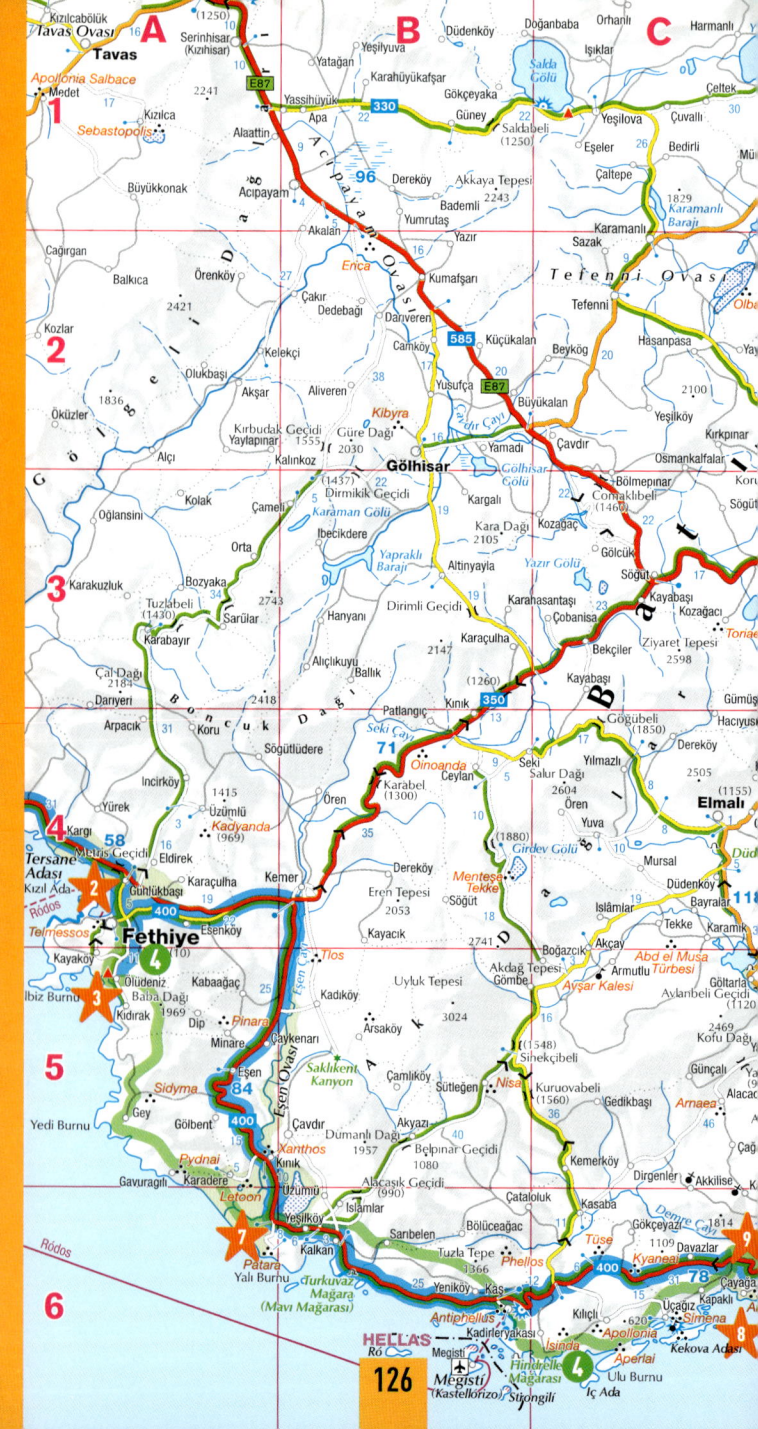

131

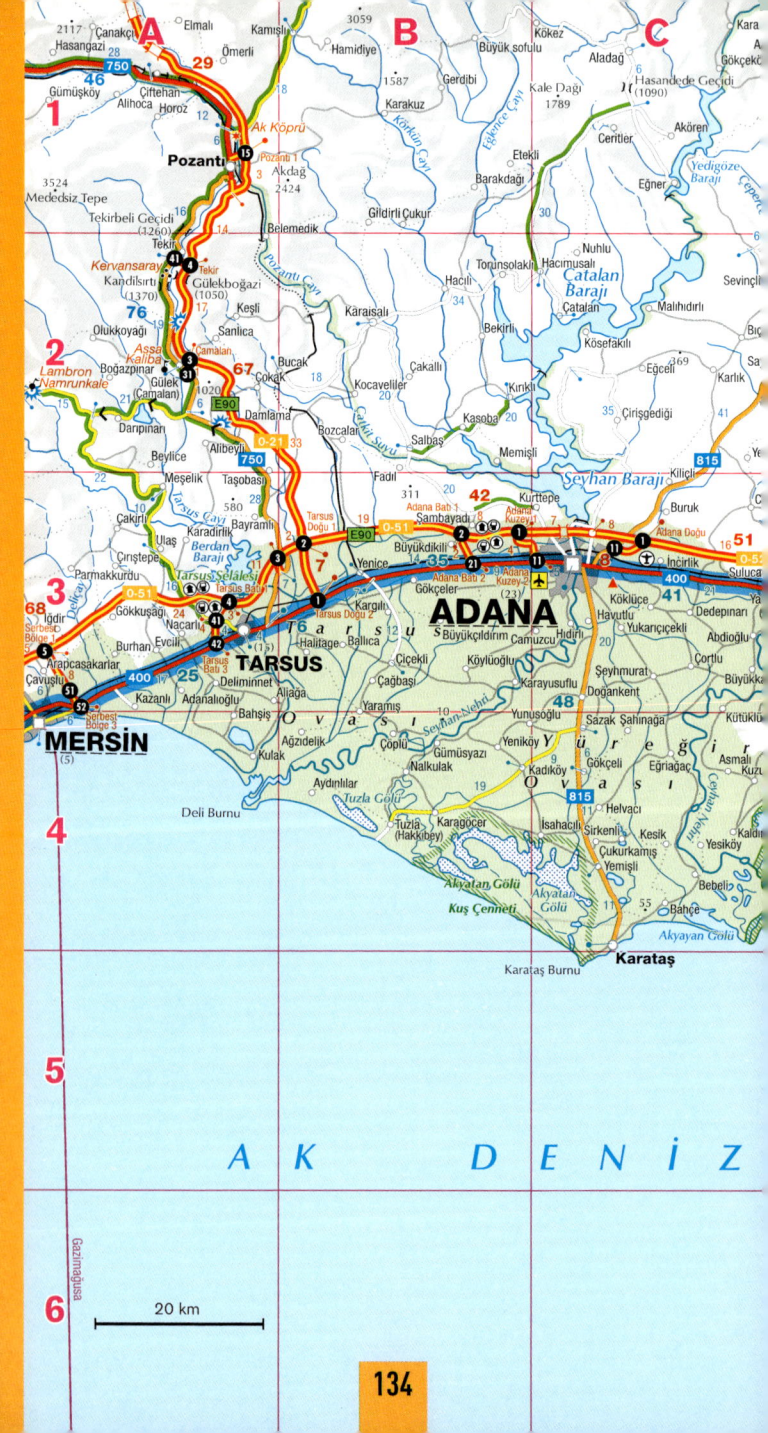

KARTENLEGENDE

Autobahn mit Anschlussstellen		
Motorway with junctions		

Autobahn mit Anschlussstellen
Motorway with junctions

Autobahn in Bau
Motorway under construction

Mautstelle
Toll station

Raststätte mit Übernachtung
Roadside restaurant and hotel

Raststätte
Roadside restaurant

Tankstelle
Filling-station

Autobahnähnliche Schnellstraße mit Anschlussstelle
Dual carriage-way with motorway characteristics with junction

Fernverkehrsstraße
Trunk road

Durchgangsstraße
Thoroughfare

Wichtige Hauptstraße
Important main road

Hauptstraße
Main road

Nebenstraße
Secondary road

Eisenbahn
Railway

Autozug-Terminal
Car-loading terminal

Zahnradbahn
Mountain railway

Kabinenschwebebahn
Aerial cableway

Eisenbahnfähre
Railway ferry

Autofähre
Car ferry

Schifffahrtslinie
Shipping route

Landschaftlich besonders schöne Strecke
Route with beautiful scenery

Alleenstr. Touristenstraße
Tourist route

XI-V Wintersperre
Closure in winter

Straße für Kfz gesperrt
Road closed to motor traffic

8% Bedeutende Steigungen
Important gradients

Für Wohnwagen nicht empfehlenswert
Not recommended for caravans

Für Wohnwagen gesperrt
Closed for caravans

Besonders schöner Ausblick
Important panoramic view

Wartenstein Sehenswert: Kultur - Natur
Umbalfälle Of interest: culture - nature

Badestrand
Bathing beach

Nationalpark, Naturpark
National park, nature park

Sperrgebiet
Prohibited area

Kirche
Church

Kloster
Monastery

Schloss, Burg
Palace, castle

Moschee
Mosque

Ruinen
Ruins

Leuchtturm
Lighthouse

Turm
Tower

Höhle
Cave

Ausgrabungsstätte
Archaeological excavation

Jugendherberge
Youth hostel

Allein stehendes Hotel
Isolated hotel

Berghütte
Refuge

Campingplatz
Camping site

Flughafen
Airport

Regionalflughafen
Regional airport

Flugplatz
Airfield

Staatsgrenze
National boundary

Verwaltungsgrenze
Administrative boundary

Grenzkontrollstelle
Check-point

Grenzkontrollstelle mit Beschränkung
Check-point with restrictions

ROMA Hauptstadt
Capital

VENÉZIA Verwaltungssitz
Seat of the administration

Ausflüge & Touren
Trips & Tours

Perfekte Route
Perfect route

MARCO POLO Highlight
MARCO POLO Highlight

ALLE **MARCO POLO** REISEFÜHRER

REGISTER

In diesem Register sind alle in diesem Reiseführer erwähnten Orte und Ausflugsziele sowie einige wichtige Namen und Stichworte aufgeführt. Gefettete Seitenzahlen verweisen auf den Haupteintrag.

SCHREIBEN SIE UNS!

Egal, was Ihnen Tolles im Urlaub begegnet oder Ihnen auf der Seele brennt, lassen Sie es uns wissen! Ob Lob, Kritik oder Ihr ganz persönlicher Tipp – die MARCO POLO Redaktion freut sich auf Ihre Infos.
Wir setzen alles dran, Ihnen möglichst aktuelle Informationen mit auf die Reise zu geben. Dennoch schleichen sich manchmal Fehler ein – trotz gründlicher Recherche unserer Autoren/innen. Sie haben sicherlich Verständnis, dass der Verlag dafür keine Haftung übernehmen kann.

MARCO POLO Redaktion
MAIRDUMONT
Postfach 31 51
73751 Ostfildern
info@marcopolo.de

IMPRESSUM
Titelbild: Hafen Kaleköy (Look/SagaPhoto: Forget)
Fotos: Özlem Ahmetoğlu (17 u.); DuMont Bildarchiv: Spitta (40/41, 85, 106/107), Wrba (Klappe r., 47, 49, 63, 94, 104); ©fotolia.com: aktifreklam (16 o.), Ann Thibeault (16 u.); J. Gottschlich/D. Zaptçioğlu (1 u.); R. Hackenberg (2 M. o., 2 u., 7, 8, 20, 30 r., 39, 50/51, 59, 65, 69, 72, 76, 77, 87, 88, 91, 106, 107, 122/123); Hip-Notics Cable Park: Baris Özoral (17 o.); Huber: Schmid (Klappe l., 3 M., 10/11, 92/93); M.Kirchgessner (18/19); Laif: Emmler (3 u.), Glaescher (102/103), hemis (108 o.), Tophoven (27), Tueremis (2 M. u., 24/25, 32/33); Laif/Nar Photos: Stringe (80/81); Look/SagaPhoto: Forget (1 o.); mauritius images: Alamy (2 o., 4, 5, 9, 12/13, 26 r., 28/29, 30 l., 37, 42, 54, 56, 66, 82, 98/99, 100, 105, 108 u., 109), Hänel (79), Hubatka (3o., 70/71), World Pictures (75); Mavi Jeans (16 M.); R. Renckhoff (26 l.); Visum: Reents (28); E. Wrba (6, 15, 22, 29, 44, 52, 58, 61, 96); M. Zegers (34)

6., aktualisierte Auflage 2014
© MAIRDUMONT GmbH & Co. KG, Ostfildern
Chefredakteurin: Marion Zorn
Autoren: Dilek Zaptçioğlu, Jürgen Gottschlich; Redaktion: Jochen Schürmann
Verlagsredaktion: Ann-Katrin Kutzner, Nikolai Michaelis; Prozessmanagement Redaktion: Verena Weinkauf
Bildredaktion: Gabriele Forst
Im Trend: wunder media, München
Kartografie Reiseatlas: © MAIRDUMONT, Ostfildern; Kartografie Faltkarte: © MAIRDUMONT, Ostfildern
Innengestaltung: milchhof:atelier, Berlin
Titel, S. 1, Titel Faltkarte: factor product münchen
Sprachführer: in Zusammenarbeit mit Ernst Klett Sprachen GmbH, Stuttgart, Redaktion PONS Wörterbücher

MIX
Paper from responsible sources
FSC® C021256

AUF NEPPER UND SCHLEPPER HEREINFALLEN

Da, wo viele Touristen unterwegs sind, tauchen sie unweigerlich auf, die vermeintlich freundlichen Einheimischen, die den günstigsten Teppichladen oder das beste Restaurant kennen. Meist sind es Schlepper, die Shops oder Hotels Kunden bringen sollen und dafür Provision bekommen. Schlimmer sind echte Nepper, die Besucher zum Drink einladen und ihnen dann in zweifelhaften Kneipen gigantische Rechnungen präsentieren. Lassen Sie sich vor allem nicht in Nightclubs oder Diskos abschleppen, das kann teuer werden!

UNBESEHEN ALKOHOL KONSUMIEREN

Nach schweren Vorfällen von Alkoholvergiftung in der Türkei sollten Sie auf keinen Fall in kleinen Läden billig Hochprozentiges kaufen. Die schwarz gebrannten Schnäpse enthalten Methylalkohol und sind lebensgefährlich. Kaufen Sie Ihre Getränke in Supermärkten oder an sogenannten *Tekel*-Läden, wo viel Kundschaft zu beobachten ist. Wenn Ihnen unwohl sein sollte, rufen Sie einen Krankenwagen (112), oder lassen Sie sich mit dem Taxi zum nächsten Krankenhaus *(hastane)* fahren.

MIT FREMDEN ÜBER POLITIK DISKUTIEREN

Sie können nicht davon ausgehen, dass Ihr türkisches Gegenüber Ihre Meinung über seine Religion, seinen Staatsgründer oder seine Minderheiten teilt. Voreilig begonnene Debatten können schnell zu Frust auf beiden Seiten führen. Viele Türken stehen der EU inzwischen nicht mehr so positiv gegenüber. Sprechen Sie mit Fremden lieber über das Wetter!

ZU LEGERE KLEIDUNG TRAGEN

Mit Badehose ins Restaurant oder in Shorts in die Moschee: Das sorgt nicht nur für Ärger, sondern ist meist auch verboten. Auch in Strandrestaurants wird ein Minimum an Bekleidung erwartet, und Gotteshäuser – ob Kirchen, Synagogen oder Moscheen – betritt man nur bedeckt. In Moscheen werden am Eingang die Schuhe ausgezogen.

NACKT BADEN

Es gibt viele Ferienresorts, an deren Stränden „oben ohne" üblich ist. An öffentlichen Stränden sollte man aber vorsichtig sein, schon weil man damit penetrante Blicke auf sich zieht. FKK ist in der Türkei noch nicht angekommen – im Gegenteil, es ist sogar verboten.

IN DER ÖFFENTLICHKEIT SCHMUSEN

Was in Marmaris vielleicht noch alltäglich sein mag, kann im mittelanatolischen Konya z. B. zum Problem werden. Der öffentliche Austausch von Zärtlichkeiten – wie etwa Küsse, die über die üblichen Begrüßungsküsschen hinausgehen – ist zwar nicht regelrecht verboten, sollte aber der Umgebung und den Umständen angepasst werden.